ANNE-LAURE BONDOUX ET
JEAN-CLAUDE MOURLEVAT

Anne-Laure Bondoux a écrit un peu de théâtre, des chansons, puis elle a été journaliste avant de démissionner pour revenir à la fiction. Depuis 2000, elle a publié dix romans pour la jeunesse, et son travail a été récompensé par de nombreux prix, en France et à l'étranger.

Jean-Claude Mourlevat écrit depuis plus de quinze ans. Après s'être consacré longtemps au théâtre, il a publié une quinzaine de romans et reçu de nombreux prix, tels le prix Sorcières et le prix des Incorruptibles, qu'il a obtenus plusieurs fois. Il est traduit dans une vingtaine de langues.

Retrouvez toute l'actualité des auteurs sur :
www.bondoux.net
www.jcmourlevat.com

ET JE DANSE, AUSSI

ANNE-LAURE BONDOUX
JEAN-CLAUDE MOURLEVAT

ET JE DANSE, AUSSI

Pocket, une marque d'Univers Poche,
est un éditeur qui s'engage pour la préservation
de son environnement et qui utilise du papier fabriqué
à partir de bois provenant de forêts gérées
de manière responsable.

ISBN : 978-2-266-26597-3

De : Pierre-Marie Sotto
À : Adeline Parmelan

Le 24 février 2013

Chère Madame Parmelan,

Rentrant de voyage ce samedi, je trouve dans ma boîte aux lettres cette volumineuse enveloppe portant votre adresse mail au dos. Je suppose qu'il s'agit d'un manuscrit. En ce cas, je vous remercie de la confiance que vous me témoignez, mais je dois vous informer que je ne lis jamais les textes qu'on m'envoie. C'est le travail des éditeurs. Pour ce qui me concerne, je ne suis qu'écrivain et j'ai bien assez de mal avec ma propre écriture pour avoir la prétention de juger celle des autres.

Je n'ai donc pas ouvert votre enveloppe. Je vous la retournerai dès lundi à votre adresse postale si vous me la communiquez. J'espère que vous ne m'en voudrez pas trop.

Bien cordialement.
Pierre-Marie Sotto

De : Adeline Parmelan
À : Pierre-Marie Sotto

Le 24 février 2013

Cher Monsieur Sotto,

Je vous remercie d'avoir pris la peine de m'écrire dès votre retour de voyage, même si votre réponse m'a beaucoup déconcertée. Pour tout vous dire, j'étais certaine que vous alliez décacheter mon enveloppe. Mais réflexion faite, je comprends : votre notoriété doit vous attirer toutes sortes de demandes ennuyeuses, et vous avez raison de vous en protéger. Puisque vous avez eu la gentillesse de m'envoyer un message, je me permets de vous préciser que le contenu de l'enveloppe n'a rien d'ordinaire. Et, bien qu'étant l'une de vos admiratrices, je crois pouvoir affirmer que je ne suis pas une lectrice comme les autres.

En comptant sur votre curiosité et en espérant ne pas vous paraître trop insistante.

Avec toute mon admiration.
Adeline Parmelan

De : Pierre-Marie Sotto
À : Adeline Parmelan

Le 25 février 2013

Chère Madame Parmelan,

Si je n'ai pas ouvert votre enveloppe, c'est parce que j'aime choisir moi-même mes lectures. C'est aussi en effet parce que j'ai appris avec le temps à ne pas me disperser. Il m'est arrivé une seule fois d'engager une correspondance avec une lectrice, mais, pardonnez-moi de le dire avec franchise, je n'ai aucune raison objective de renouveler cette expérience avec vous.

Merci de me lire.

Bien cordialement.
Pierre-Marie Sotto

~

De : Adeline Parmelan
À : Pierre-Marie Sotto

Le 25 février 2013

Cher Monsieur Sotto,

Je n'ai pas l'habitude d'écrire à des personnalités et vous n'imaginez pas les hésitations qui ont précédé l'envoi de cette enveloppe, ni les efforts que j'ai déployés pour trouver votre adresse postale. Apparemment, la lectrice avec laquelle vous avez correspondu avait des arguments plus solides que les miens pour voler un peu de votre temps. Je me demande comment elle s'y est prise !

Le ton sec de votre message est plutôt décourageant, mais je tente encore ma chance : cette photo, que je vous envoie en pièce jointe, vous évoquera peut-être quelque chose.

Bien à vous.
Adeline Parmelan

~

De : Pierre-Marie Sotto
À : Adeline Parmelan

Le 25 février 2013

Chère Adeline Parmelan,

Pardonnez le *ton sec*, je n'avais pas l'intention de vous blesser. Il peut m'arriver d'être maladroit, surtout en ce moment.

Cette jeune femme m'avait d'abord brièvement écrit à propos de ce roman où il est question de surdité. Étant elle-même sourde et mère de deux enfants sourds, elle avait été touchée par ce sujet. Nous avons correspondu pendant plusieurs années. C'était naturel et sans prétention. Vos courriers, à l'inverse, déclenchent chez moi un léger malaise, je l'avoue. En quoi seriez-vous une lectrice différente des autres ?

Quant à la photo jointe, je suis désolé de vous décevoir encore, elle n'évoque absolument rien pour moi. Est-ce vous qui l'avez prise ? Est-ce là que vous habitez ?

Bien cordialement.
Pierre-Marie Sotto

De : Adeline Parmelan
À : Pierre-Marie Sotto

Le 25 février 2013

Cher Pierre-Marie Sotto,

Si cette photo ne vous rappelle rien, oubliez-la, mais laissez-moi m'étonner d'une chose : pour des gens qui n'ont rien à se dire, nous nous écrivons beaucoup ! D'ailleurs, votre disponibilité m'honore ! Dois-je en déduire que vous n'êtes pas absorbé par l'écriture ? Ou peut-être venez-vous d'achever un nouveau roman ? Ce serait la meilleure des nouvelles, et je suis très preneuse de bonnes nouvelles – denrée rare chez moi depuis longtemps.

Je vous pardonne volontiers votre maladresse. Vous ne m'avez pas blessée. Il m'en faut malheureusement bien plus.

Adeline Parmelan

~

De : Pierre-Marie Sotto
À : Adeline Parmelan

Le 26 février 2013

Chère Adeline Parmelan,

Oui, nous nous écrivons beaucoup, mais il n'y a pas

d'égalité entre nous : vous savez beaucoup de moi, et moi je ne sais rien de vous. Il vous suffit d'aller sur Internet et de taper mon nom sur un moteur de recherche. Vous trouverez ma date de naissance (eh oui, j'ai 60 ans), ma biographie, des photos qui me représentent à tous les âges de ma vie, les dernières sans pitié pour ma calvitie récente. Vous pouvez entendre le son de ma voix. Bref je suis exposé. À nu. Vous, au contraire, êtes confortablement tapie dans votre anonymat. Et les maigres indications que vous me donnez sur vous-même en disent bien peu.

Merci de considérer qu'un nouveau roman de moi est une bonne nouvelle, mais hélas pour cela il va falloir attendre assez longtemps j'en ai peur.

Je vous renouvelle ma proposition à propos de votre manuscrit. Une simple adresse postale et je vous le retourne. D'ici là, je le remise sur l'étagère du bas de ma bibliothèque où il patientera auprès de mes dossiers de relevés bancaires et de mes contrats d'édition.

Bien cordialement.
Pierre-Marie Sotto

~

De : Adeline Parmelan
À : Pierre-Marie Sotto

Le 26 février 2013

Cher Pierre-Marie Sotto,
Grande. Brune. Grosse.
34 ans.

Voix : alto (je chante dans une chorale d'amateurs).
Calvitie : pas encore.

J'ai conscience qu'un tel portrait n'a rien d'engageant et que je n'arrive pas à la cheville de cette femme qui s'était retrouvée dans *Silences* (si mes souvenirs de lecture sont exacts ?). À ce propos, et puisqu'elle vous avait touché, pourquoi avez-vous cessé de lui écrire ? Y aurait-il eu un « malentendu » entre vous ?

J'ai probablement eu tort de vous envoyer cette enveloppe, et je ne souhaite pas encombrer plus longtemps vos étagères.

Mon adresse :
1, impasse Marc-Bloch, 72727 Le Cloître.

(Si vous pouviez me renvoyer l'enveloppe assez vite, je prévois de déménager bientôt. Je vous rembourserai les frais de port.)

Je reste votre fidèle lectrice.
Adeline Parmelan

PS : Vous semblez avoir des soucis avec l'écriture de votre prochain roman, mais sachez que je l'attends tout de même avec impatience. Et je ne suis pas la seule !

De : Pierre-Marie Sotto
À : Adeline

Le 27 février 2013

Chère Adeline,
Oui, bien sûr, il s'agit de *Silences*.

Je ne sais pas si je fais bien, mais il faut tout de même que je vous dise : la nuit qui a suivi votre second message, je me suis réveillé à 3 heures du matin. Connaissez-vous cet état-là ? Brusquement, en plein milieu de la nuit, vous êtes cueilli par une évidence : *mon fils me hait... mon père est en train de mourir... je suis vieux...* ou quelque chose de ce genre. Dans tous les cas, votre nuit est foutue. Là, rien d'aussi dramatique, juste cette réflexion à votre sujet, qui tenait en ces quelques mots : *je suis tombé sur un os.*

J'ignore ce que cache l'enveloppe, mais j'avoue que je commence à la lorgner d'un autre œil. Me permettez-vous de la garder un peu encore ?

La jeune femme et moi avons cessé de nous écrire lorsqu'elle a émigré en Irlande avec son mari. *Si vous passez à Dublin un jour*, m'a-t-elle dit, *venez me voir.* Je n'y suis jamais allé bien sûr. En fait, je l'avoue, c'est moi qui me suis lassé le premier de sa prose. Elle collait sans doute de trop près à sa réalité. Je lui aurais volontiers pardonné de s'inventer un peu. Je ne m'en privais pas, moi !

Je vous envie de chanter. Quel répertoire ? Moi, je suis trop cérébral. Je chante faux, je danse comme un ours.

Merci de brosser de vous ce portrait sans complaisance. Il vous donne une humanité qui me touche. Qu'il soit fidèle ou non m'importe assez peu au bout du compte. C'est comme dans les romans : l'important est qu'on soit intéressé, vous ne pensez pas ?

Bonne journée à vous !

Pierre-Marie

PS : *Impasse, Le Cloître...* Oh oui, déménagez très vite !

~

De : Adeline
À : Pierre-Marie

Le 27 février 2013

Cher Pierre-Marie,

On peut dire que vous avez l'art de souffler le chaud et le froid ! D'ailleurs, je me suis réveillée ce matin avec un gros rhume, il n'y a pas de hasard. Cela dit, je ne veux pas vous faire porter le chapeau : ce coin de campagne où je me trouve « cloîtrée » (je vois que la pesanteur de mon adresse ne vous a pas échappé, et je regrette de ne pas avoir eu votre clairvoyance avant de m'installer ici il y a neuf ans) est particulièrement humide. Connaissez-vous la Sarthe ? J'ai noté que vous n'en faites jamais mention dans vos romans, mais j'ai noté aussi que vous ne décrivez pas non plus l'endroit où vous habitez, comme si votre imaginaire avait besoin de se délocaliser pour pouvoir s'épanouir. Je vous envie cette liberté totale qui vous permet d'échapper à votre réalité quotidienne.

Ainsi donc, vous n'allez pas me renvoyer mon enveloppe tout de suite ? Je ne sais plus quoi vous dire. Enfin, si : pour l'instant, je préférerais qu'elle reste là où vous l'avez mise.

Votre image d'os m'a beaucoup fait rire. Personne ne m'avait jamais comparée à un os. Le portrait que j'ai fait de moi est hélas parfaitement fidèle… Durant toute mon adolescence, j'ai souffert du regard cruel de mes « camarades » de classe.

D'après ce que j'ai lu sur vous, je devine que ça n'a pas été votre cas, mais je compte sur votre capacité d'imagination pour vous représenter ce qu'endure une jeune fille, dans un collège de banlieue, lorsqu'elle ne correspond pas aux canons de beauté en vigueur. Le rejet et les humiliations auraient pu me détruire ; j'ai préféré m'endormir. M'anesthésier. Mais certains événements récents m'ont réveillée de cette longue torpeur, et à présent, je veux vivre pleinement, sans concession.

Alors oui : je chante ! (le répertoire de notre chef de chœur va du gospel aux chants liturgiques orthodoxes, en passant par la chanson populaire, c'est quelqu'un de bien). Et, figurez-vous que je danse aussi ! Et je me contrefiche d'avoir l'air d'un ours ou d'un hippopotame. Vous devriez essayer. Même si on ne rattrape jamais le temps perdu, on peut décider de ne plus en perdre : c'est la raison pour laquelle je prépare également mon déménagement. Mes cartons ne sont pas encore faits, mais j'ai entamé le tri au sens propre comme au figuré, et l'enveloppe que je vous ai envoyée n'est pas étrangère à cet écrémage.

Si vous avez une autre insomnie, faites-le-moi savoir : je fabrique des tisanes formidables pour soigner à peu près tout.

Votre « os ».
Adeline Parmelan

De : Adeline
À : Pierre-Marie

Le 27 février 2013

C'est encore moi. Le temps d'une course rapide dans le bourg voisin (le bien nommé « Mouron » – je ne vous mens pas), j'ai éprouvé quelques scrupules par rapport à mon courrier. « Trop long ! Et surtout trop personnel ! » me suis-je dit. Alors, juste pour vous rassurer : j'ai des amis, hommes et femmes, dans la vraie vie. Voilà, c'est tout.

Bonne journée à vous et pensez aux tisanes !

~

De : Pierre-Marie
À : Adeline

Le 27 février 2013

Chère Adeline,

Rempochez (ça se dit ?) vos scrupules. Vous ne me dérangez pas. Votre courrier n'était pas trop long. Si encore j'étais plongé dans l'écriture de mon meilleur roman, alors oui je pourrais m'agacer. Cela m'est souvent arrivé, et je rêve que cela recommence : être tellement dans son travail qu'on considère tout le reste comme une insupportable perte de temps ! Quand l'écriture galope ainsi, je vous jure que c'est une incomparable jubilation. Mais hélas, j'en suis loin en ce moment. Je ne suis plongé dans aucun projet littéraire. C'est la pétole (absence de vent dans l'argot de la navigation). Et cette *liberté totale* que vous m'enviez, j'y renoncerais volontiers, je la déteste. Je préférerais de loin être ensorcelé par moi-même, pris dans une histoire haletante que je serais en train d'inventer. Mais non, rien, le silence. Pas un souffle d'air. Bon, j'arrête là. Je ne veux pas vous ennuyer avec mes soucis. Je préfère vous dire (allez, j'ose !) que je suis content lorsque je vois apparaître votre nom dans mon courrier électronique.

Non, je ne connais pas la Sarthe. Il faudrait ? Et non, en effet, je ne situe jamais mes romans dans la région que j'habite. C'est joli pourtant, la Drôme. Mais en faire le décor de mes fictions, sûrement pas ! J'ignore pourquoi. En fait, je ne sais pas répondre à ces questions-là. Les questions qui commencent par *pourquoi* me crispent. D'une manière générale, les gens me pensent beaucoup plus intelligent que je ne le suis. J'ai toujours envie de leur répondre : je suis arrivé à écrire quelques romans lisibles, soit, mais s'il vous plaît ne me demandez pas comment j'ai fait ! Si écrire était facile à expliquer, ce serait aussi facile à faire, alors que c'est difficile. Bon Dieu que c'est difficile.

Je compatis avec cette ado différente que vous étiez. J'imagine sans peine votre souffrance et vos larmes de désespoir. Les ados peuvent se comporter en épouvantables petits fascistes quand ils s'y mettent. Moi je n'étais pas gros. J'étais exagérément, épouvantablement, désespérément, définitivement… timide. Avec les filles en particulier. Je n'avais pas peur qu'elles me disent non (j'étais loin d'être moche), j'avais la terreur qu'elles me disent oui. Alors je faisais celui que ça n'intéressait pas. Parfois j'imagine, alignées côte à côte devant moi, toutes les jolies filles que j'aurais pu avoir et que je n'ai pas eues, que j'aurais pu serrer dans mes bras, embrasser sur la bouche, caresser et mettre dans mon lit : des brunes, des blondes, des rondes et des minces, des à la peau blanche et des à la peau dorée. Au lieu de quoi je crevais de solitude. Ça m'en donne le vertige quand j'y pense. Voilà. Chacun sa misère, n'est-ce pas ?

Je ne doute pas que vous avez les amis que vous méritez. Moi j'en ai peu. Les meilleurs sont loin ou morts. Désolé de finir sur ces mots.

Je vous laisse. Je file au cinéma. Je vous raconterai.

Je ne vous ai pas interrogée sur ces *événements récents* qui. Une autre fois. Nous avons le temps, n'est-ce pas ? En attendant, oui, dansez, chantez, embrassez qui vous voulez.

Pierre-Marie

De : Adeline
À : Pierre-Marie

Le 28 février 2013

Cher Pierre-Marie,

Mon rhume s'est aggravé depuis hier, et mes fameuses tisanes (pourtant réputées dans toute la Sarthe du Sud) ne me font aucun effet. Je vous écris donc entre deux larmes, deux mouchoirs, la tête dans un brouillard plus dense que celui qui règne sous mes fenêtres. C'est sans importance, puisque je n'ai aucune obligation : je peux même passer la journée au lit si ça me chante. J'espère seulement avoir assez de cervelle pour vous écrire quelques lignes cohérentes !

En premier lieu, je renouvelle franchement ma demande : s'il vous plaît, laissez ma volumineuse enveloppe entre vos relevés bancaires et vos contrats d'édition. C'est absurde et contradictoire, je sais : je me casse la tête pour qu'elle arrive entre vos mains, et maintenant je regrette qu'elle s'y trouve. Souvent, femme varie, comme dit le proverbe… Mais la vérité, c'est que je prends un plaisir inattendu à correspondre avec vous, et je redoute que ce plaisir prenne fin si vous découvrez ce que je vous ai envoyé.

Je ne connais rien à la création. C'est un domaine mystérieux, réservé à une catégorie d'humains dont je ne fais pas partie. Je me situe de l'autre côté, dans la salle, pas sur la scène. Du coup, je ne comprends pas que vous détestiez cette liberté dont vous jouissez. Excusez-moi, Pierre-Marie, mais j'ai l'impression d'entendre la plainte d'un enfant gâté. Vous souffrez d'un manque d'inspiration, d'accord, mais est-ce une raison pour haïr ce que la plupart des gens vous envient ? Vous avez choisi d'être écrivain, non ? Alors, assumez ! Soyez écrivain dans le silence et le désarroi, soyez écrivain sans un mot, sans une virgule. Vivez cette souffrance avec autant d'intensité que les instants grisants qui vous manquent : c'est le prix à payer !

Vous me trouvez sans pitié ? Mettez cette dureté sur le compte du rhume : il me désinhibe autant qu'une cuite, et me donne envie de vous provoquer. Alors, monsieur l'écrivain célèbre, dites-moi ce qui vous empêche de faire galoper vos chevaux ! Dites-moi ce qui vous fait peur ! Et si mes questions vous agacent, rentrez-moi dedans, défoulez-vous, vous pouvez y aller, je suis bien rembourrée ! Vous sentir triste me rend triste, et à tout prendre, je vous préférerais en colère. Ne me dites pas que vous n'avez aucune raison d'être en colère, je ne vous croirai pas.

Vous vous décrivez comme un adolescent timide, cela ne me surprend pas. Les écrivains sont naturellement timides, il me semble, sinon ils seraient chanteurs de rock ou acteurs. J'ai cependant beaucoup de mal à vous imaginer si maladroit avec ces jeunes filles que vous mettez en brochette ! N'ai-je pas lu quelque part que vous avez été marié trois fois ?

Pour faire bonne mesure, et puisque aucune notice biographique ne traîne sur Internet me concernant, je vais me mettre à nu à mon tour : j'ai été mariée, moi aussi. Une seule fois, et avec un sale type. J'avais tellement souffert de rejet pendant mon adolescence que je me suis jetée au cou du premier qui a bien voulu de moi et ça s'est fini en catastrophe. Mais c'est de l'histoire ancienne, et je m'en suis remise. Aujourd'hui, j'ai compris qu'il fallait d'abord que je m'aime avant de pouvoir être aimée, une évidence que j'ai mis trente ans à admettre. Alors au lieu de rêver bêtement au Prince Charmant, je cultive les amitiés, les rencontres, les relations avec des personnes qui me font du bien. Je bavarde avec les petits vieux et les petites vieilles qui s'ennuient sur les bancs de mon village, je porte leurs commissions jusqu'à chez eux, je les aide à changer une ampoule, à étendre leurs draps. N'imaginez surtout pas que je suis une sainte ! Oh non ! J'ai simplement fait une expérience nouvelle et formidable : donner du temps, de l'attention, un coup de main, me remplit autant (et mieux) que les paquets de chips ou de biscuits que je dévorais pour calmer mes angoisses. Depuis que je suis attentive aux autres, croyez-moi ou pas, je maigris ! Pas assez encore pour concourir à l'élection de Miss Sarthe, mais je n'ai pas tant d'ambition…

Pour finir, cher Pierre-Marie, je vous promets de ne plus vous demander « pourquoi » ni « comment » vous parvenez à nous émerveiller avec vos romans. Juré, craché ! En revanche, puisque vous ne m'avez pas interdit (pas encore) de vous demander pourquoi et comment vous vous êtes retrouvé dans cette « impasse » d'écriture, je continuerai de vous asticoter à ce sujet. Et je vous raconterai, si vous me le demandez, comment je me suis retrouvée moi-même à habiter une impasse. Et à y croupir pendant neuf ans… Faites comme moi : triez vos affaires, emballez les trucs auxquels vous tenez dans des cartons, balancez le reste, et déménagez !

Bon sang, je me rends compte que l'état brumeux où je me trouvais avant de commencer ce courrier est en train de se dissiper : vous écrire me soigne. Seriez-vous plus efficace qu'une tisane ?

J'attends vos coups de griffes, vos coups de poing… et la critique du film que vous êtes allé voir hier, de pied ferme.

Votre mouche du coche.
Adeline

De : Pierre-Marie
À : Adeline

Le 1er mars 2013

Chère Adeline,

Sacré nom ! Quel rythme ! Quelle fougue ! J'en reste sur les fesses ! Et vous n'avez rien à voir avec la création ? Mon œil ! Savez-vous qu'il existe de par le monde quantité d'écrivains dont le seul tort est de n'avoir jamais rien écrit ? J'ai la conviction qu'on croise au quotidien ou presque des Proust, des Kafka, des Faulkner qui ne le savent pas et qui restent agents immobiliers, professeurs de judo ou moniteurs d'auto-école. J'exagère à peine. À l'inverse, je connais pas mal d'écrivains qui sont les seuls à penser qu'ils le sont, mais c'est un autre sujet.

La critique du film ? Hélas je me suis endormi au bout de quelques minutes. Jamais ça ne me serait arrivé autrefois. Ne vous moquez ni des vieux ni des riches, vous pourriez le devenir plus tôt que prévu (surtout vieux). Le sommeil, c'est irrésistible, on ne peut pas lutter, sauf à se gifler violemment en poussant des cris d'auto-stimulation, mais au milieu du public dans une salle de cinéma ça passe mal. Je me réveillais un peu, je repiquais. Je n'ai rien compris au film.

La donna è mobile, oui, en effet. Et maintenant que vous ne voulez plus que j'ouvre l'enveloppe, c'est fou comme j'ai envie de le faire ! Je suis comme la jeune femme de *La Barbe bleue* avec dans sa main la clef du petit cabinet. Mais rassurez-vous, je ne l'ouvrirai pas sans votre autorisation. Trop peur des personnes mortes suspendues à des crochets de boucher.

Je passe du coq à l'âne. Ne croyez pas tout ce que vous lisez sur moi. Marié trois fois ? C'est faux, je l'ai été quatre. Et j'ai six enfants. Un de ma première femme. Deux de la seconde. Trois de la troisième. Toutes les femmes avec qui j'ai vécu ont voulu que je leur fasse des enfants, allez savoir pourquoi, chacune s'acharnant à battre en nombre le record de la précédente. J'ai toujours habité des grandes maisons bordéliques remplies de mes propres enfants bruyants (je suis paisible et silencieux mais je n'ai fait que des enfants braillards) et de ceux faits par mes femmes avec d'autres maris. Allez, je vais me livrer pour vous à un exercice de mufle : résumer chacun de mes mariages en quelques lignes. Ça vous amuse ? J'y vais.

Ma première femme. Elle m'a mis le grappin dessus, peut-être comme vous l'avez fait vous-même avec ce *sale type* qui a bien voulu de vous. Elle m'a joué sa partition avec talent : jolie, cuisinière, curieuse, coquine. Puis quand j'ai eu la bague au doigt, elle s'est métamorphosée. Fin de la représentation. Pas d'applaudissements.

Ma seconde femme. Je ne me rappelle plus pourquoi je l'ai épousée, mais je sais très bien pourquoi je l'ai quittée. Partout où je me sentais bien (librairies, soirées avec des amis), elle me disait : *On y va, Minou ?* J'ai tenu huit ans.

Ma troisième femme était norvégienne (et elle l'est toujours). Choc des cultures. Nous nous sommes séparés bons amis. Nos trois enfants sont bilingues. Je la revois de loin en loin.

Je ne parlerai pas de ma quatrième femme, la seule avec laquelle je n'ai pas eu d'enfant (elle avait passé l'âge). Une autre fois peut-être. Dès que je parle d'elle, c'est comme appuyer sur un bouton, je. Non, une autre fois.

Plusieurs de vos questions sont restées en plan. Ma panne littéraire ? Je vais vous dire la vérité toute crue, et telle que je ne peux pas la dire en public. Vous êtes prête ? *Je ne m'intéresse plus à ce que j'écris.* Vlan ! Qu'ajouter à ça ? Je ne crois plus à mes personnages. Ils m'emmerdent à peine esquissés. Et je me déteste moi-même à leur courir après, et après leur pauvre histoire. Les gens ne peuvent pas imaginer le désarroi que cela représente pour un écrivain. Le seul événement comparable pour un homme est peut-être le moment de sa vie où il se rend compte qu'il n'est plus capable de faire l'amour. Oh ! là, là ! je m'emballe ! Doucement mon cheval ! C'est votre impétuosité qui est contagieuse, ma parole ! L'amusant dans cette affaire, c'est qu'en vous écrivant ainsi, je ressens justement un peu de ce plaisir d'écriture qui me fuyait depuis des mois. C'est peu de chose, moitié souvenir, moitié promesse. Mais c'est bon. Aussi, quoi que devienne notre correspondance, je vous remercie, chère Sarthoise enrhumée.

Oui, j'aimerais en savoir plus sur vous, sur ce qui vous a jetée dans cet humide repaire. Dites-moi ça, s'il vous plaît. Et où allez-vous partir, maintenant que vous êtes toute neuve ? À Barcelone ?

Un coup de téléphone. Je dois vous laisser pour la journée.

Votre écrivain célèbre.
Pierre-Marie

De : Adeline
À : Pierre-Marie

Le 1er mars 2013

Cher Pierre-Marie,

Je vous trouve plutôt en forme pour un vieux qui pique du nez au cinéma ! Et je suis contente que ma fougue vous contamine : c'est un bon microbe.

Je ne suis pas médecin (ni monitrice d'auto-école, ni professeur de judo, ah ! ah ! ah !) mais à vous lire, je diagnostique une rémission prochaine de votre maladie. Croyez-moi, je suis instinctive, et si je peux, de loin, aider à vous remettre en selle (décidément, nous filons la métaphore équestre...), j'en serais honorée. Me dédierez-vous votre prochain livre ? Quelque chose comme « À la grosse Sarthoise qui m'est tombée dessus avec sa grosse enveloppe » ? Cela intriguerait vos fans et les rendrait jaloux : je ne bouderais pas ce petit plaisir.

Depuis quand vos personnages vous emmerdent-ils ? Depuis quand avez-vous perdu votre flamme ? Voulez-vous un briquet ? Je projette d'arrêter de fumer (entre autres nouveautés à venir). Dès que ce sera fait, je vous ferai parvenir un colis rempli de boîtes d'allumettes, et j'y joindrai le vieux Zippo que j'ai gardé de mon père.

Tiens, puisque vous m'avez amusée avec les portraits de vos ex (quelle galerie ! j'y reviendrai !), à mon tour de vous divertir avec une histoire de famille. Pas plus tard qu'hier soir, j'ai exhumé de vieilles photos qui pourrissaient dans un coin de ma cave, et je suis tombée nez à nez avec un fantôme : celui de mon père, justement. Oui, je crois aux fantômes ; en tout cas, je crois que nous sommes tous hantés par quelque chose ou par quelqu'un, et pour reprendre votre image du cabinet de *La Barbe bleue*, il était là, dans le noir, suspendu à son crochet. Brr...

Comme toutes les filles, j'ai été folle de mon père. Jusqu'à ce qu'il trahisse mon amour, un soir d'avril, l'année de mes 13 ans. À l'époque, nous habitions en banlieue parisienne (la commune s'appelait Deuil-la-Barre – si vous pensez que je suis maudite, versez un peu d'eau bénite sur votre ordinateur), et je prenais le bus pour rentrer du collège. Je m'étais assise devant, le nez collé à la vitre pour ne pas me mêler au chahut des autres, quand soudain, en contrebas, dans la voiture qui attendait au feu rouge, j'ai vu une silhouette reconnaissable entre mille.

Mon père n'était pas assis dans *notre* voiture, mais sur le siège passager d'une petite R5 de couleur bleue. À côté de lui, au volant, une personne dont je n'apercevais qu'un genou, et un bout de pantalon en jean. Aujourd'hui encore, ce genou reste imprimé dans mes yeux. Et vous savez pourquoi ? Parce que mon père était en train de le caresser, de le peloter, de le malaxer avec cette façon particulière que peuvent avoir les hommes quand ils sont excités. Du haut de mes 13 ans, bien qu'ayant une idée très vague de la sexualité, j'ai éprouvé un malaise si intense que je me suis mise à saigner du nez.

Le bus a redémarré, la voiture aussi, emportant mon père dans la circulation. Moi, je saignais du nez à gros bouillons, les autres collégiens se sont mis à crier, on m'a tendu des paquets de Kleenex, et je suis descendue à ma station dans un état second, tenant à peine sur mes jambes.

Le soir, incapable de regarder mon père en face, j'ai dit que j'étais malade, et je suis restée dans ma chambre.

Les jours suivants, j'ai tenté d'évacuer le malaise et d'oublier l'image du genou. J'ai essayé de me convaincre que j'avais rêvé, jusqu'au jour où, rendant visite à mon père dans la jardinerie où il travaillait, j'ai découvert à qui appartenaient la R5 et le genou.

Sa maîtresse s'appelait Estéban. Il était jeune, beau, espagnol, et il roulait du cul entre les allées de géraniums et de pétunias. En sa présence, mon père était un autre homme. Ça crevait les yeux qu'il était amoureux. Que peut une fille de 13 ans contre une telle évidence ?

Je vous passe mes états d'âme, mon dégoût, et le compte des kilos que j'ai pris par la suite, pour étouffer ce secret qui me mangeait.

Il a fallu encore deux ans à mon père pour qu'il ose quitter ma mère. Il n'est pas parti pour Estéban, mais pour Pierre, Paul ou Jacques, je n'en sais rien. Je ne l'ai plus jamais revu. Il est mort du sida quand j'avais 22 ans. Il avait mené une vie tellement déglinguée qu'il ne laissait presque rien derrière lui. Quand on a vidé son appartement avec ma mère et mon frère, je ne sais pas pourquoi, j'ai choisi son Zippo.

Vous voyez, j'ai pris la tangente : vous me demandiez de vous dire comment j'étais arrivée dans mon impasse humide, et je vous ai parlé d'autre chose. Mais la vie est un enchaînement, et tout se tient, comme dans les meilleurs de vos livres ! Je vous raconterai ça une autre fois.

Si j'ai plombé l'ambiance, je le regrette. Vous aviez un ton léger dans votre message, qui m'a beaucoup plu. J'aspire à la légèreté (sur tous les plans !), je vous assure, mais je n'y arrive pas encore.

J'essaie de vous imaginer dans votre grande baraque bordélique, avec six mômes accrochés à vos basques, et vos multiples épouses en train de vous pourchasser ! Comment avez-vous pu écrire au milieu de toutes ces contraintes familiales ?

Votre seconde femme m'a fait éclater de rire ! C'est vraiment comique de se représenter un écrivain comme vous en compagnie d'un bonnet de nuit… ou d'une odieuse castratrice, choisissez. Vous avez bien fait de vous enfuir, même si j'ai toujours du mal à me mettre du côté des hommes qui partent – vous comprenez pourquoi, maintenant.

Votre Norvégienne paraît mieux, bien que je ne connaisse rien à la Norvège. Je suppose que vos trois enfants sont blonds, froids, et qu'ils font du ski.

C'est votre quatrième épouse qui m'intrigue, bien sûr. Je brûle de curiosité. Mais je ne veux pas vous mettre dans l'embarras, j'imagine que vous vivez toujours avec elle, et je ne suis pas intime avec vous. Quoique.

En tout cas, Internet est plein de sornettes, je me le tiendrai pour dit. Quatre mariages ! Y a-t-il d'autres erreurs à votre sujet ? Par exemple, j'ai lu que vous étiez pressenti pour le Nobel, est-ce vrai ? (Peut-être que votre ex norvégienne fait partie du jury ? Copinage ?)

Après tout ça, je veux quand même vous remercier pour les compliments qui ouvraient votre précédent message. Je suis flattée que vous me trouviez un « brin de plume », comme on dit. Mais je me défends d'être une créatrice. Tout ce que je vous raconte n'est que du réel, c'est plus facile. Je suis incapable d'imaginer une situation, des personnages, etc. Si mes phrases ne sont pas trop maladroites, c'est simplement que je suis une grande lectrice et que, professionnellement, je fréquentais les maux, et aussi les mots. Mais je m'en tiens là pour ce soir. J'ai prévu une sortie et je dois me faire « belle » : autant vous dire que j'ai du pain sur la planche !

Je vous raconterai si vous êtes sage.

Avec mon amitié (si vous le permettez).
Adeline

De : Pierre-Marie
À : Adeline

Le 2 mars 2013

Chère Adeline,

Soyons techniques, pour commencer : dans vos courriers, les points de suspension se transforment en S majuscules. Ce n'est pas très gênant, mais je ne sais pas l'expliquer. Et vous, Dieu soit loué, vous y recourez peu, aux points de suspension et c'est tant mieux. Je ne les aime pas, et d'ailleurs je vous mets au défi d'en trouver plus d'une quinzaine d'exemplaires dans tous mes livres. Ceux qui les utilisent me rappellent ces types qui font mine de vouloir se battre, qui vous forcent à les retenir par la manche et qui vocifèrent : retenez-moi ou je lui pète la gueule à ce connard !

En réalité, ils seraient bien embêtés qu'on les laisse aller au combat. De même, ces obsédés des points de suspension semblent vous dire : ah, si on me laissait faire, vous verriez cette superbe description que je vous brosserais là, et ce dialogue percutant, et cette analyse brillante. J'ai tout ça au bout des doigts, mais bon je me retiens. Pour cette fois ! On a envie de leur suggérer à l'oreille : laissez-vous donc aller, mon vieux, ne muselez plus ainsi ce génie qu'on devine en vous et qui ne demande qu'à nous exploser à la gueule. Lâchez-vous et le monde de la littérature en sera sous le choc, je vous le garantis.

Alors, cette sortie ? C'était bien, malgré votre rhume ? Il passe, au fait ? Oui, bien sûr, grâce à vos tisanes magiques. Avez-vous essayé de vous frictionner le haut du torse avec de l'essence de lavande ? À défaut de guérir, ça sent bon et ça apaise.

Votre histoire m'a touché. Ah, les filles et leurs pères… (Honte à moi ! Je viens, sans y penser, de mettre des points de suspension ! Mais avouez que si on n'en met pas là, après la phrase : *Ah, les filles et leurs pères*, quand pourra-t-on en mettre ? Jamais. D'ailleurs, on devrait conseiller ainsi les écrivains : n'utilisez jamais les points de suspension sauf, seule et unique exception, après la phrase *Ah, les filles et leurs pères*…)

Au début de ma lecture, je me demandais en quoi cet homme avait trahi votre amour. Qu'il ait aimé cet Estéban n'enlevait rien à l'amour qu'il vous portait à vous, sa fille. Et d'ailleurs vous le dites bien : jusqu'à l'âge de 13 ans, vous étiez folle de lui, et lui de vous certainement. Il avait bien le droit de vivre sa passion, non ? Vous l'auriez préféré fidèle à une femme non aimée, malheureux, éteint ? Mais vous écrivez ensuite :

il est parti et je ne l'ai jamais revu, et là, évidemment, il n'y a plus d'arguments qui tiennent, il ne reste que la souffrance. Et les chips et les biscuits (que vous aviez déjà commencé à engloutir à l'excès avant cet événement si j'ai bien lu. Oh le vilain qui au lieu de compatir simplement étudie la chronologie des événements ! Pardon). Gardez précieusement le Zippo. Un jour peut-être pardonnerez-vous à votre père l'impardonnable, et vous serez heureuse de l'avoir, le Zippo.

Vous croyez aux fantômes ? Moi pas. Je devrais, pourtant, puisque j'en ai vu un. Allez, je vous raconte ça puisqu'il s'agit de mon père et que vous m'avez parlé du vôtre.

Mon père est mort en 1987 d'une attaque cardiaque. Belle mort, comme on dit. Hop là, bonsoir tout le monde ! Pas de longue maladie, pas d'hôpital, pas de rémission, pas de rechute, pas de blouse ouverte à l'arrière et qui montre les fesses, pas d'opération sous anesthésie générale, pas de réveil avec la main blanche et maigre dans la vôtre *ça s'est bien passé, tout va bien papa*. Non, rien de tout ça. Mon père s'est lentement affaissé, le nez contre la vitrine d'un magasin de chaussures, à Dieulefit (Drôme), un après-midi de cet hiver 1987. Il s'est agenouillé. Ses lunettes sont tombées devant lui. Ma mère, qui était là, les a ramassées d'abord, par réflexe, avant de s'occuper de lui, et elle s'en est voulu tout le reste de sa vie : *et moi qui m'occupais de ses lunettes ! Oh quelle gourde ! Mon Dieu, quelle gourde !* On lui a expliqué cent fois que c'était normal. Qu'elle avait sans doute compris dans la seconde que c'était très grave, et que son cerveau avait mis en place un mécanisme de défense, comme quand on s'évanouit pour échapper à la douleur. Son cerveau lui a dit : ce n'est rien, c'est juste les lunettes, et donc elle a ramassé les lunettes, c'est normal maman. *Oui peut-être, mais quand même, quelle gourde !* Mon père avait 75 ans et moi 35. J'ai eu de la peine, parce que je l'aimais bien, pas d'un d'amour inconditionnel comme avec ma mère, mais je l'aimais bien, un brave type, allez. Seulement je ne suis pas arrivé à pleurer, ni à l'annonce du drame, ni quand la famille est arrivée, ni à la messe d'enterrement, ni au cimetière.

Les mois ont passé. Les années.

Et un beau jour, je me trouve à Paris. Je marche dans la rue du Cherche-Midi. Il pleut et le souvenir de mon père s'impose à moi, sans raison. En particulier ce soir d'hiver où il m'avait porté dans ses bras, dans la neige. Bon, il faut que je raconte aussi, sinon vous ne comprendrez rien.

J'avais 7 ou 8 ans et je me suis brûlé la cuisse avec l'eau d'une bouillotte en caoutchouc qui a éclaté. C'était l'hiver, le soir, il neigeait fort. Mon père me prend dans ses bras et m'emmène dans son petit camion pour me conduire chez une paysanne qui conjure le feu, dans la montagne. Au passage, il prend un copain à lui, le menuisier, et nous voilà partis, moi assis entre les deux hommes. Essuie-glace. Jurons. *On va pas y arriver, oui !* Moi je pleure beaucoup, ça me brûle terriblement, sur la cuisse, sur le ventre. La cour de la ferme est envahie par la neige. Mon père me porte. À l'intérieur, c'est sombre, la vieille dame me fait monter à l'étage. Je baisse mon pantalon et elle commence ses prières, ses chuchotis. Ses doigts s'agitent sur ma peau. Quand on repart, je ne pleure plus. Après deux cents mètres, on s'arrête dans le village où le café est encore ouvert, on voit la lumière derrière les carreaux. Attends ici, me dit mon père, on va boire un canon et on revient. Ils partent tous les deux. J'attends sagement dans le camion, mais au bout d'une minute, pas plus, mon père est de retour, seul. Viens, il me dit, et il me prend dans ses bras pour la troisième fois. Dans le café, il y a six ou huit hommes qui boivent du vin, mais surtout il y a, posé très haut sur une étagère, presque sous le plafond, un téléviseur. Et c'est La Piste Aux Étoiles. Je mets des majuscules à chacun de ces quatre mots parce que nous n'avions pas de télé à la maison, et que La Piste Aux Étoiles pour moi enfant, c'était le Taj Mahal plus le Carnaval de Rio plus une aurore boréale plus tout ce que vous voudrez qui vous émerveille. Voilà, j'ai regardé La Piste Aux Étoiles et j'ai bu un Pschitt orange, avec ma cuisse brûlée, et toute cette neige dehors, et les bras de mon père.

Bref, je marche rue du Cherche-Midi, tout en pensant à ce soir-là. Et les larmes jamais venues me viennent. Je lui demande pardon, je ne sais pas vraiment de quoi. De ne pas avoir pleuré plus tôt ? De ne pas l'avoir aimé assez ? De ne pas le lui avoir dit ? Alors soudain, il est là, et marche à mes côtés. Il me dit que ce n'est pas grave, que tout est bien, que je suis *un bon garçon.* Il est là avec une présence physique incroyable, ses lunettes, son odeur, sa voix. Il me demande si je vais bien. Je lui dis que oui. Et lui, comment il va ? Il me répond que *ça va ça va.* Je voudrais le prendre dans mes bras, mais j'ai peur de passer pour un fou, à étreindre du vide. Nous suivons ensemble toute la rue du Cherche-Midi, qui est longue. Puis peu à peu sa présence perd en densité. Avant qu'il disparaisse tout à fait, je lui dis au revoir. Quand j'arrive à l'hôtel, je ressens un apaisement incroyable.

Oui, décidément, gardez bien votre Zippo.

Ma mère est décédée aussi maintenant. Résultat : je suis un grand et gros garçon orphelin (je vous ai dit que je mesurais 1,92 m ? Je les faisais à 17 ans) qui a eu quatre femmes, six enfants et qui va tout seul au cinéma, le soir. Et qui s'y endort, parfois.

À nouveau plein de questions que vous posez et auxquelles je n'ai pas répondu. Ça viendra.

J'accueille volontiers votre amitié, chère Adeline, et je vous offre la mienne.

Votre grand écrivain (1,92 m, je vous le rappelle).

Pierre-Marie

~

De : Adeline
À : Pierre-Marie

Le 2 mars 2013

Puisque vous me faites cet honneur, je commence ce courrier par un Cher Ami.

Cher Ami,

Inconscient que vous êtes ! Vous ne savez pas à quoi vous vous engagez ! Je vais vous mettre à l'épreuve tout de suite par un défi que voici : donnez-moi dix bonnes raisons de trouver que la vie est belle.

Juste dix, ça ira pour aujourd'hui. Votre mission : me remonter le moral après ma sortie d'hier qui s'est achevée en naufrage. Non, attendez, je suis injuste ! Donnez-moi seulement neuf bonnes raisons, puisque la première est toute trouvée : être votre amie, et avoir la chance de lire vos messages.

Quand j'ai découvert le dernier dans ma boîte mail, mon moral est remonté d'un cran. Mais comme il est tombé en dessous du niveau de la mer, hier soir vers 22 heures, ça n'a pas suffi. J'attends vos bouées de sauvetage.

En échange, je vous promets de ne plus employer de points de suspension, sauf si je devais de nouveau vous parler de mon père… ! J'ai été très émue par vos souvenirs. Je vous avoue que j'en ai pleuré. Ce n'était pas à cause du rhume, il semble guéri. C'était à cause de (ou grâce à) vos mots : la brûlure, la neige, les bras de votre père, la guérisseuse, La Piste Aux Étoiles, j'y étais. Vous pourriez en faire le début d'un livre, non ?

Et après cette expérience magique de la rue du Cherche-Midi, ne venez plus me dire que vous ne croyez pas aux fantômes. Vous êtes sans doute moins cartésien et moins cérébral que vous le dites. J'aurais mille choses à écrire au sujet de tout ça, mais je ne m'en sens pas la force aujourd'hui. Imaginez-moi accrochée à un bout de bois pourri au milieu de l'Atlantique, et vous aurez une idée de ma situation. Pourrie, comme le bout de bois.

Si vous ne trouvez pas neuf bonnes raisons, inventez-les. Mentez. Je vous croirai.

J'arrête ici : des requins affamés commencent à me tourner autour.

Votre désastreuse amie.
Adeline Titanic

De : Pierre-Marie
À : Adeline

Le 3 mars 2013

Chère naufragée,

Je vous promets un secours avant ce soir minuit. D'ici là, accrochez-vous à votre planche et dites aux requins que vous êtes de Sheffield, ils détestent la viande anglaise.

Tenez bon !
Pierre-Marie (en partance pour *la neige*)

De : Pierre-Marie
À : Adeline

Le 3 mars 2013

J'ai dit que je vous écrirais, je vous écris. J'ai au moins cette qualité, perdue au milieu de mes défauts : on peut compter sur moi. C'est mon côté bourrin. Toujours vivante ? J'avoue que j'ai pensé à vous une bonne partie de cette journée de voyage et que j'avais hâte d'être au calme pour (essayer de) vous apporter le réconfort demandé. Qu'est-ce qui a bien pu vous arriver de si désastreux hier soir à 22 heures, au cours de cette sortie pour laquelle vous vous faisiez belle ? Au passage, je trouve toujours émouvant une femme appliquée à se faire belle, quel que soit le point de départ de cette tentative et quel qu'en soit le résultat.

Ça me touche, qu'il s'agisse d'une petite fille, d'une adulte ou d'une grand-mère. Je la regarde se peigner, se farder, s'apprêter, je vois son œil interrogateur dans le miroir. Et si elle n'est pas jolie, ça me touche doublement.

Oui, qu'est-ce qui vous est tombé dessus hier soir ? Une déception amoureuse ? Si c'est le cas, ce type est un triste con, permettez-moi de vous le dire (ou une triste conne peut-être). Il (ou elle) ne vous mérite pas. Quelqu'un vous a appelée *la grosse* et soudain toutes les barricades érigées depuis des années se sont effondrées comme les murs de paille du premier petit cochon ? Ou bien vous avez plus simplement succombé à un de ces coups de tristesse vicieux qui nous submerge sans raison objective ? Je connais ça depuis mon enfance, ça a commencé aux fêtes patronales de mon village (ah, cet insaisissable pompon), ça s'est poursuivi dans les surprises-parties de mon adolescence dans lesquelles je promenais désespérément mon mètre quatre-vingt-douze et ma gaucherie, et ça s'est achevé par les rares fêtes de mariages auxquelles j'ai commis l'erreur de me rendre, adulte. Un jour je vous expliquerai pourquoi je préfère cent fois les enterrements. Si j'oublie, rappelez-moi de le faire, c'est promis ?

Oui, je me demande bien ce qui a pu vous faire mal à ce point, hier à 22 heures, et tout ce que j'imagine est bien entendu faux. Avez-vous remarqué d'ailleurs comme la vie a plus d'imagination que nous ? Vous vous défendez d'être une créatrice, parce que vous ne me racontez que votre réalité, dites-vous, alors que moi je serais au-dessus de cela puisque j'invente des fictions. Mais savez-vous que le lecteur se contrefiche de la réalité, il veut juste que cela l'intéresse. Et ce que vous écrivez m'intéresse.

Neuf raisons de trouver que la vie est belle ? Est-ce qu'une seule ne suffirait pas ? Je ne suis pas en train de me débiner. Je pourrais vous en trouver de très poétiques et de très vivifiantes, c'est mon boulot. Il y serait question de la nature, de la nourriture, de la littérature, de Mozart, de Shakespeare, de Cervantès et des Rolling Stones. Mais si je devais ne vous donner qu'une seule raison d'essayer de survivre encore un peu avant de vous abandonner à ces enfoirés de requins, c'est celle-ci : je vous promets des marrades, des poilades, des bidonnades, meilleures que tous les Lexomil, Prozac et Temesta réunis, des fous rires qui vous laisseront pantelante d'avoir trop ri. Vous me croyez ?

Je dois vous laisser. C'est l'heure du génépi, dans notre chalet, les voisins rappliquent, je vous raconterai (ou pas, parce que j'ai comme l'impression que nous remettons sans cesse questions et réponses, et que ça s'accumule, tiens je ne sais pas quelle est cette profession que vous exercez et qui vous fait fréquenter les mots et les maux. Vous êtes avocate ? Orthophoniste ? Maîtresse d'école ?). Je vous souhaite une douce nuit. Les Anglais disent : *sleep tight, don't let the bedbugs bite*. C'est ça, ne vous laissez pas grignoter par ces sales bestioles ! Écrabouillez-moi ça !

Votre écrivain d'altitude.
Pierre-Marie

De : Adeline
À : Pierre-Marie

Le 4 mars 2013

Mon cher ami sauveteur de montagne,

Un mot rapide avant de prendre le temps de vous répondre mieux, pour vous dire que j'ai survécu aux requins. Je me suis couchée avec les poules hier, et j'ai un rendez-vous tôt ce matin. Important. Je file dans ma campagne, jusqu'à la grande ville. Je vous raconterai aussi. À plus tard et surtout, MERCI.

Adeline

~

De : Adeline
À : Pierre-Marie

Le 4 mars 2013

Cher Pierre-Marie,

Me voilà de retour de la grande ville. J'avais hâte, moi aussi, d'être débarrassée de mes obligations, pour reprendre le fil de notre conversation. C'est étrange : nous ne nous connaissions pas voici deux semaines, et soudain, nous prenons le temps de penser l'un à l'autre. Je trouve ça étonnant. Mais vous, bien sûr, vous êtes un habitué de la correspondance. Je fais allusion à celle que vous avez entretenue pendant des années avec la jeune femme sourde. Y en a-t-il eu d'autres ? Avez-vous, en parallèle de nos échanges, trois ou quatre lectrices (je vous crois moins tenté d'entretenir une relation avec des lecteurs, je me trompe ?) avec qui parler à bâtons rompus ? Suis-je une parmi des milliers ?

Vous croyez que je suis jalouse ?

Zut, vous avez raison, je suis jalouse ! Oubliez mes questions indiscrètes et correspondez avec qui vous voulez, tant que vous me réservez une petite place.

Non, oubliez ça aussi. En réclamant une place dans votre vie, je me fais l'effet d'une ogresse possessive ou d'une gamine qui pique un caprice.

C'est que votre vie m'a l'air d'être si remplie, si pleine ! Vous évoquez vos voyages, vos multiples femmes, vos ribambelles d'enfants, sans compter vos admirateurs, vos livres et maintenant, un chalet où le voisinage rapplique à l'heure du digestif : comment une personne lambda comme moi peut-elle s'insérer au milieu d'une foule pareille ?

Ah oui, j'oubliais votre traversée du désert...

Êtes-vous croyant ?

Pour ma part, je n'ai pas reçu d'éducation religieuse, je connais à peine la Bible, mais certaines images me parlent. Vous traversez votre désert. Je traverse le mien. Nous souffrons séparément, nous luttons avec nos démons, et c'est justement notre solitude qui nous rapproche.

Allez, j'arrête les images et les paraboles : je vais vous raconter ce qui s'est passé vendredi soir.

Après vous avoir laissé, comme je vous l'avais dit, je suis allée me faire belle. Pour moi, c'est une épreuve, pourquoi je me juge moche, même si certains et certaines s'évertuent à me démontrer le contraire. Je ne les écoute que d'une oreille et le miroir est intraitable. Mais depuis quelque temps, j'apprends à me montrer moins dure à mon égard, et j'accepte d'apporter des corrections là où je pensais qu'il n'y avait rien à faire.

Alors je me coiffe : je dénoue la queue-de-cheval informe qui emprisonne mes cheveux la plupart du temps, et j'utilise un fer à friser pour donner un peu de volume. Pour cette opération, comptez déjà un quart d'heure. Ensuite, j'épile mes sourcils, que j'ai naturellement fournis, comme la plupart des brunes. Comptez cinq minutes – je suis « sourcilleuse » ! Après, j'enduis, je tartine, je parfume mon grand et gros corps : comptez encore cinq minutes et un pot entier de crème hydratante. Le maquillage représente la partie la plus délicate : poudres, mascara, fard à paupières, crayon noir, rouge à lèvres. N'étant pas experte, j'y passe encore un quart d'heure, et je ne suis jamais très satisfaite. Pour finir, j'enfile des collants, une robe noire, une paire de chaussures fines. Essayez un peu de faire entrer une pointure 41 dans un escarpin de princesse !

Bref, au bout d'une heure, me voilà prête. Belle, non, mais soignée et plus féminine que d'ordinaire.

Je sors de mon cloître, et je prends ma voiture pour me rendre à ce rendez-vous dont je vous ai parlé. Vous avez deviné, il y a bien une histoire d'homme là-dessous. Et avant de vous en dire plus, je vous dois une petite explication. Je vous ai dit, dans un précédent message, que j'avais fait une croix sur l'amour et que je préférais consacrer mon temps aux petits vieux de mon village. C'est archi-vrai, mais que voulez-vous : la chair est faible. Alors même si je ne rêve plus au Prince Charmant, je rêve quand même de me blottir de temps en temps entre les bras d'un homme. Est-ce contradictoire ? Les bras d'un homme : je ne connais rien de plus doux. S'y abandonner, s'y lover, s'y sentir accueillie. Je ne vous parle même pas d'excentriques galipettes (là, je déborderais du cadre de nos échanges épistolaires), mais seulement de tendresse.

Alors vendredi soir, oui, j'avais l'espoir d'un peu de tendresse. Une de mes amies organisait une petite fête à l'occasion de son anniversaire, où il devait y avoir une vingtaine de personnes. Parmi les invités, son frère, que j'avais déjà rencontré trois ou quatre fois. Un célibataire plus âgé que moi, charmant sans être séducteur, sans enfant, directeur d'une des agences bancaires rurales de notre belle région. Nous avions bien « accroché », comme on dit, et il avait confié à mon amie (sa sœur, vous me suivez ?) qu'il serait content de me revoir. Je lui avais laissé entendre que je n'étais pas insensible aux beaux yeux de cet homme, alors elle s'était empressée de le lui répéter et d'organiser cette fête d'anniversaire dans l'espoir de nous pousser l'un vers l'autre. D'après elle, l'affaire était dans le sac.

Me voilà donc fébrile, toute pomponnée, inquiète à l'idée que des mains se posent sur moi, à l'idée que quelqu'un me découvre en tenue d'Ève, avec mes bourrelets, mes plis, mes défauts, mais prête pour l'aventure !

Le frère de mon amie était déjà là lorsque je suis arrivée. Vous pensez bien que je ne lui ai pas adressé la parole tout de suite. J'ai d'abord picoré au buffet, bavardé avec les copines, et surtout : j'ai bu pas mal de champagne. Et encore un verre, et encore une coupe, etc. Il y avait de la musique, quelques couples qui dansaient, je voyais le moment où il allait venir vers moi pour m'inviter, et plus j'y pensais, plus je buvais.

À 22 heures, je suis allée vomir dans la salle de bains de mon amie, à l'étage.

Inutile de vous dire que mes efforts de maquillage et de coiffure ont été aussitôt réduits à néant. J'ai vomi tout ce que je pouvais, et même après ça, je ne tenais plus sur mes jambes. Les murs dansaient, les plafonds tournaient, l'horreur. Sans rien dire à personne, je suis allée m'allonger dans la chambre des enfants (qui avaient été envoyés chez la grand-mère pour le week-end). Je me suis écroulée sur un petit lit, au milieu des Mickey et des ours en peluche, et j'ai dormi. Quand je me suis réveillée de mon coma, il était 3 heures du matin, la fête était presque finie. Je me suis éclipsée discrètement, sans dire au revoir, rien. J'ai conduit jusqu'à chez moi en priant pour ne pas me faire arrêter par les flics et je me suis recouchée.

Comme vous pouvez le voir, aucun triste con ne m'a maltraitée : c'est moi, la triste conne.

Du coup, j'ai passé le reste du week-end à m'en vouloir, à me détester, à cuver ma honte et ma cuite. Ça ne m'était jamais arrivé, et ça m'arrive à mon âge, quelle gourde ! Tout ça à cause de la peur. De la terreur, même, d'être exposée aux yeux d'un directeur d'agence bancaire ! C'est pitoyable, vous pouvez le dire.

Vous en conclurez, à raison, que je me sens davantage à mon aise avec vous, qui êtes loin dans vos montagnes, et totalement dématérialisé. Aucun risque que vous puissiez me voir : je peux donc me montrer. Maintenant que vous m'avez vue telle que je suis, m'accordez-vous encore un peu d'estime ? Au pire, un peu de compassion ?

Tout de même un rayon de soleil ce matin : l'affaire importante qui m'a emmenée à la grande ville ! Je vous l'annonce avec joie : ma maison humide, mon cloître en cul-de-sac est enfin VENDU. Je suis allée signer les papiers chez le notaire, et d'ici quelques mois, il faudra que je débarrasse le plancher. Ouf ! Ça m'ôte un poids, si vous saviez.

Cette maison, je ne l'ai pas choisie. C'est un héritage de ma mère. Rien de plus oppressant qu'un héritage lorsqu'on essaie de voler de ses propres ailes : pire qu'une corde pour se pendre. J'ai cru devoir entretenir la mémoire de la lignée en venant m'enterrer ici, au détriment de ma vie. C'est fini. Bon courage aux Anglais qui vont prendre ma place. À présent, il me reste à décider vers quels cieux j'ai envie de m'envoler. Vous m'avez suggéré Barcelone : pourquoi ? Je ne parle même pas le catalan (ni aucune autre langue étrangère, d'ailleurs), et pour mon activité professionnelle, l'étranger ne serait pas pratique du tout. À moins que je ne change aussi de métier, pourquoi pas ?

D'ailleurs, et vous ? Avez vous déjà songé à vous reconvertir ? Je vous verrais bien en avaleur de sabres, en dompteur d'ours, ou en pilote de course. N'oubliez pas que vous avez promis de me faire rire !

Mon chef de chœur (j'ai chorale ce soir, ça va me faire le plus grand bien) nous recommande de rire le plus souvent possible, ça détend le diaphragme, et on chante bien plus librement. Alors vous avez raison : rions !

Je vous embrasse.

Votre correspondante pas fière.

Adeline

PS : Mozart, Shakespeare et Cervantès sont sûrement sympas, mais ils n'ont jamais répondu à mes mails. Vous avez donc ma préférence !

De : Pierre-Marie
À : Adeline

Le 5 mars 2013

Chère Adeline,

Je rentre à l'instant d'une randonnée de six heures, raquettes aux pieds. C'est donc le dos en charpie mais le cerveau suroxygéné que je vous écris. Oh pauvre de vous ! Oh pauvrette même, comme il est dit dans *La Chèvre de monsieur Seguin*. Je vous imagine couchée au milieu de vos peluches, dans ce lit d'enfant, et j'ai pitié de vous. Oui, c'est presque pire que si on vous avait repoussée, vous vous êtes sabordée vous-même ! Non, finalement, c'est mieux comme ça, puisque après tout, soyons optimistes, ça nous laisse l'espoir d'une deuxième chance. Vous voyez, j'ai écrit sans y penser *soyons optimistes*, j'ai employé la première personne du pluriel et non la deuxième, comme s'il s'agissait maintenant d'un combat que nous partagerons. Je vous caserai, ma petite ! Après tout, ce frère de votre amie, ce directeur de banque n'a rien vu de votre décrépitude passagère. Prenez le positif de la chose, bon sang ! Ni vu ni connu je prends ma petite cuite, ni vu ni connu je fais mon petit passage aux toilettes, toujours incognito je pique mon petit roupillon avec Mickey, et hop je m'éclipse discrètement. Rien de cassé, rien de compromis, juste un ajournement. Cette amie, si c'en est une, vous mijotera très bientôt une seconde opportunité, et là vous jouerez le grand jeu ! Vous remplacez le Dom Pérignon par un jus d'abricot et vous lui rentrez dans le chou, au banquier ! Il est peut-être timide. Beaucoup d'hommes sont comme ça, il faut pratiquement les violer pour arriver à vos fins, il faut leur ôter leur cravate, leur chemise et le reste, il faut leur prendre la main et la mettre là où vous voulez qu'elle soit, la main. Je suis bien placé pour vous le dire, ma première petite amie a dû m'arracher mon pantalon. Pardon, je m'emballe, ça doit être l'air des cimes.

Vous imaginez que je pourrais avoir d'autres correspondantes que vous et que je jonglerais entre toutes comme un amant virtuose entre ses maîtresses, sans me recouper ? Que vous puissiez penser ça me contrarie, mais je mets ça sur le compte du manque de confiance en vous. Alors la vérité : non je ne corresponds avec personne d'autre que vous, et cet échange que nous avons compte beaucoup pour moi. Il n'est comparable à rien d'autre que j'aurais déjà expérimenté. Mon Irlandaise ? Rien à voir. J'appréciais sa fidélité, sa simplicité, mais il s'agissait de courriers très brefs. Or avez-vous vu les tartines que nous nous adressons ? Elle me donnait des nouvelles d'elle, je lui en donnais de moi. Nous nous suivions. Je compatissais aux maladies de ses enfants. Elle me félicitait pour la sortie de mes livres.

Avec vous c'est tout autre chose. J'éprouve un vrai plaisir à vous écrire et je m'impatiente lorsque je dois repousser le moment de le faire. Comprenez-moi. Lorsque j'écris un roman, je m'efforce d'y mettre de la cohérence, de la structure. Ici, au contraire, je peux me promener selon mon humeur et la vôtre, je peux oublier mes poussins en route et les récupérer la fois suivante, ou pas. Je ressens une liberté grisante.

Ça part dans tous les sens et cette accélération, ce désordre me plaisent.

J'aime aussi cette parcimonie avec laquelle vous me donnez à voir qui vous êtes. Je ne connais pas votre profession, je n'ai jamais vu votre visage, mais je sais ce que vous avez fait cette nuit du vendredi 1er mars. Qui le sait, à part moi ? Que me direz-vous encore ? Jusqu'où irez-vous ? Et jusqu'où irai-je, moi, qui vous ai déjà raconté ma Piste Aux Étoiles ?

Je vous en prie, je ne veux plus que vous compariez nos deux vies en présupposant que la mienne est forcément mille fois plus palpitante que la vôtre. J'ai eu quatre femmes, oui, mais pas en même temps ! Mes enfants sont adultes et tous partis. Depuis le 28 octobre 2010, je vis seul dans ma maison, voilà vous le saurez. Je n'ai même pas de chien. Juste un chat méprisant. Cette vie pétaradante, ce foisonnement autour de moi, c'est du passé. Je refuse presque toutes les sollicitations des médias parce que je n'ai rien à dire de nouveau et que j'ai honte de me répéter. J'ai honte d'expliquer comment, et pourquoi, et grâce à qui, et dans quelle pièce, et à quel moment de la journée j'écris, alors que je n'écris plus. Entre chacun de mes livres une année s'écoulait autrefois, puis je suis passé à deux, puis à trois. Allez consulter ma bibliographie, Adeline, et regardez la date de ma dernière publication. Alors je vous en prie, laissez tout ça, ma célébrité, ma vie si pleine et si riche. Ça ne signifie rien pour moi.

Bon, la salle du restaurant d'où je vous écris vient de se remplir d'une vingtaine de joyeux convives qui *se tordent le cou pour mieux s'entendre rire* comme dit Brel (je suis jaloux de phrases comme celle-ci !). Je vais avoir du mal à continuer ce courrier. Le chalet où nous sommes est une immense bâtisse divisée en appartements, et il y a cette salle commune au rez-de-chaussée, seul endroit où il est possible de se connecter. Ça y est, ils ne rient plus, ils hennissent. Je vous laisse.

Et moi aussi, allez, je vous embrasse.

(Si je suis croyant ? Je ne crois pas.)

Pierre-Marie (dont le pull commence à sentir méchamment la raclette)

De : Adeline
À : Pierre-Marie

Le 7 mars 2013

Cher Pierre-Marie,

Quel étrange et bon ami vous faites ! Vous me remontez le moral, vous me consolez, et voilà que vous promettez de jouer les marieurs ! Mes amies femmes ne s'y prendraient pas mieux que vous. Je devine donc que vous n'appartenez pas à cette catégorie d'hommes qui refusent à tout prix leur part de féminité ; je m'en doutais, notez. Un homme qui avoue sa timidité, un homme à qui il faut prendre la main pour la mettre « là où il faut », et qui pleure en pleine rue en parlant à son père sans se soucier du regard des passants ne peut pas être un macho. Je suis peut-être naïve, mais il me semble que l'écriture réclame une certaine humilité et que les écrivains sont toujours amenés à avouer leurs faiblesses, leurs failles, leurs blessures. La matière première de l'écriture doit venir de là, non ? De ces trous de l'âme d'où s'écoulent nos souffrances.

Oh ! là, là ! arrêtez-moi, je deviens lyrique ! C'est l'air de vos montagnes qui me grise à distance, on dirait.

Puisque vous m'invitiez à le faire, j'ai consulté votre bibliographie, cher ami. Et j'ai pu constater ce ralentissement progressif de vos publications : vous disiez vrai. En 1984, l'année de votre premier roman, j'ai vu que vous aviez également publié des articles et participé à un recueil collectif de nouvelles. En 1985, deux romans ! En 1986, un seul, mais quelle merveille ! Votre *Château des brumes* est l'un de mes préférés, je vous l'avoue, car c'est par celui-là que je suis entrée dans votre univers. Je me souviens de l'éblouissement qui accompagnait sa lecture, notamment lorsque vous racontez la fameuse scène de l'abattoir. J'en ai encore des frissons !

Ensuite, vous avez publié avec une grande régularité pendant dix ans. Puis un « trou » : rien entre 1997 et 2000. Ça m'a intriguée. Que s'est-il passé pour vous durant ces trois années blanches ? S'il s'agissait d'une précédente panne, vous ne seriez sans doute pas aussi inquiet aujourd'hui, puisque vous avez par la suite repris un rythme d'écriture correct, jusqu'à la consécration du Goncourt en 2005. On dirait, à observer les dates, que c'est ce prix qui vous a ralenti. Les lauriers seraient-ils plus lourds qu'on ne l'imagine ?

Mais surtout, ce qui m'a sauté aux yeux, c'est cette date que vous mentionnez avec une précision implacable : le 28 octobre 2010. Je suis sûre que vous vous rappelez même le jour de la semaine, voire l'heure à laquelle vous vous êtes retrouvé seul dans votre grande maison… Pour un homme qui a, semble-t-il, toujours vécu au milieu d'un tourbillon familial, cette brutale solitude a dû faire l'effet d'une bombe, non ? Et vous n'avez, en effet, pratiquement rien publié depuis ! Alors, cher Pierre-Marie, est-il stupide de croire que votre traversée du désert coïncide avec un tournant dans votre vie affective ? Vous prêtez même du mépris à votre chat, c'est dire si vous nagez en pleine crise existentielle !

Et comme je vous comprends !

Pour ma part, j'ai dû me mettre en arrêt maladie prolongé pour pouvoir faire face à la mienne, de crise. En jachère. Je ne fais rien de mes journées depuis des mois, à part trier les souvenirs de ma mère. Je vis au ralenti, très chichement. En attendant l'argent que me rapportera la vente du cloître, mon seul luxe est de m'être inscrite à cette chorale et à mon cours de danse. Ainsi, deux fois par semaine, je sors de ma solitude et je laisse vibrer mon corps ; ça me suffit, pour l'instant.

Suite à l'épisode navrant de cette soirée d'ivresse, je n'ai même pas répondu aux messages laissés par mon amie. Elle s'inquiète. Je vais faire l'effort de la rappeler, mais je vais lui dire que son frère ne m'intéresse pas. Manifestement, je ne suis pas encore prête pour une nuit d'amour. Vous me trouvez lâche ? Je suis comme ces animaux blessés qui se replient dans leur terrier pour lécher leurs plaies. Tant que la cicatrisation n'est pas faite, pourquoi prendre des risques ? Et puis, pour tout vous dire, j'ai la banque en horreur. Coucher avec un banquier était une piètre idée, mon corps me l'a signalé de manière définitive.

À l'inverse, comme vous pouvez le voir, je suis vraiment heureuse de vous écrire et de lire vos réponses.

Surtout lorsque vous me dites que cette correspondance a de la valeur à vos yeux (merci !). Depuis nos cachettes respectives – la vôtre pue la raclette, la mienne sent le champignon moisi –, nous nous offrons un espace de liberté totale, c'est magnifique ! Pour l'instant, je n'ai besoin de rien d'autre, à part de mes petits vieux.

Figurez-vous que ce matin, en allant chercher mon pain, j'ai croisé Odette Pardessus. Je vous jure que c'est son vrai nom : je serais bien incapable d'en inventer un qui lui aille si bien. Car Odette Pardessus, en toutes saisons, reste vêtue d'un imperméable d'homme, élimé et pas très propre, dont la ceinture traîne jusqu'au sol. Elle n'a plus toute sa tête, Odette. Elle radote de vieilles histoires, elle marche des kilomètres à travers la campagne, et elle ramasse les objets abandonnés. C'est une sorte de chiffonnière, mais c'est aussi une artiste. Chez elle, le bric-à-brac s'entasse et elle fabrique des sculptures bizarres à grand renfort de colle néoprène. C'est moche, et en même temps, je n'ai jamais rien vu de plus émouvant. Ce matin, donc, elle m'a emmenée chez elle. Je l'ai aidée à déballer sa collecte du jour : des journaux, des bouteilles en plastique, des canettes en fer, des tickets d'autocar, des emballages de chips, quelques mégots, beurk. Et pendant que nous installions tout ça sur la table de sa cuisine, voilà qu'elle se met à me parler de ma mère. Je savais qu'elle l'avait connue, toute petite, ainsi que le reste de ma famille, puisque cette maison appartenait à mes grands-parents, et avant eux, à mes arrière-grands-parents. Bref, je croyais qu'elle allait me raconter des choses que je savais déjà, mais pas du tout. Odette m'a raconté un événement particulier qui se serait déroulé ici, dans cette maison où j'habite, voilà cinquante-quatre ans. Je suis un peu chamboulée, depuis ce matin, à cause de ça. Je ne vous en parle qu'à la fin de mon courrier, parce que je dois, avant de vous dire de quoi il s'agit (et si ça vous intéresse), effectuer quelques recherches dans les archives municipales et à la bibliothèque pour confirmer l'histoire d'Odette. Je vais entamer ces recherches dès demain. Ce sera une sorte d'enquête, comme dans les romans !

Je termine par ce suspense et une recette de tisane magique contre ces courbatures qui vous mettent le corps en charpie : prêle, cassis, feuilles de frêne et camomille, à raison de 50 g par plante, vous mélangez et noyez d'eau bouillante. Essayez, vous serez un homme neuf ! Et si vous êtes croyant, ajoutez-y une prière pour sainte Adeline, patronne des écrivains à raquettes, c'est souverain !

Je vous embrasse et ne vous cassez rien.

Votre amie.
Adeline

De : Pierre-Marie
À : Adeline

Le 10 mars 2013

Chère étonnante Adeline,

Il neige ici ce matin. Une vraie belle neige qui tombe droite et silencieuse. Tiens, en voilà une, raison de trouver que la vie est belle ! Vous allez voir, je vais vous les administrer au compte-gouttes, les neuf qui manquent. Disons que celle-ci sera la troisième, la première étant, je vous le rappelle, que vous m'avez comme ami (c'est vous qui l'avez dit !), la deuxième que vous allez encore vous tordre de rire une bonne deux centaines de fois dans votre vie (à ce propos, je ne vous ai jamais promis que je vous ferais rire, *moi*, ce serait bien présomptueux !). La troisième, donc, sera cette neige qui nous surprend au matin, derrière la fenêtre, qui transfigure en blanc la campagne devant chez nous, ou le trottoir, ou les arbres, ou les toits d'usine, qu'importe. Voilà, c'est ça : une raison de trouver que la vie est belle, c'est de pouvoir un matin annoncer à celui, celle, ceux qui ne sont pas encore debout, ou à soi-même si on est seul, cette nouvelle en trois mots : *il a neigé.*

Vous avez raison, je me souviens : le 28 octobre 2010 était un jeudi. Je me suis retrouvé seul dans ma grande maison à partir de ce jour-là à 21 h 15 et je le suis toujours. Mais je dois commencer par le début, si je veux bien raconter.

À l'automne 2002, on m'invite à la Foire du livre de Brive. Je venais de publier mon huitième roman, *La Dérive*, pas mon meilleur, soit dit en passant (si vous ne l'avez pas lu, laissez tomber), mais comme je m'étais fait rare les années précédentes (vous l'avez d'ailleurs relevé), ça se bousculait à mon stand. Je me rappelle la gêne que j'éprouvais à cause de mon voisin assis derrière la petite pile de son premier roman. Les gens l'ignoraient purement et simplement. J'ai connu en séances de dédicaces les deux situations, celle du débordé et celle du transparent, et je ne sais pas laquelle est la plus embarrassante. En fin d'après-midi, ça se calme un peu et une femme me tend un *Château des brumes* dans l'édition grand format mais en piteux état, lu et relu, ça se voit. Je lève la tête et je vois un soleil.

Le sourire occupe tout le bas de son visage. Elle est brune. J'aime les brunes comme Hitchcock aime les blondes, exclusivement (ma Norvégienne elle-même était brune !). Elle m'explique que c'est son roman préféré, comme vous. Je la remercie, je lui demande son prénom, elle s'appelle Véra. Elle a un léger accent étranger, mais de quel pays ? J'écris *Pour Véra et son sourire, avec toute mon amitié, en souvenir de notre rencontre à Brive*. Et je signe. Je lui tends le livre. Elle me demande *À quelle heure finissez-vous ?* Je réponds que je ne sais pas trop, vers 19 heures sans doute. Je suppose que c'est pour une amie à elle qui voudrait une dédicace aussi, mais non. Elle dit *Je vous invite à boire un café avec moi, ou une bière, ou ce que vous voudrez*. Dans ces cas-là, je réponds en général que malheureusement je me suis engagé ailleurs, que ce n'est pas possible. Or là, je m'entends lui répondre *Pourquoi pas ?* Elle me donne le nom d'un café proche et s'en va. Tout en accueillant la personne suivante, je la regarde s'éloigner et je la trouve aussi attirante de dos que de face (je suis très fesses). À 19 h 15, nous sommes assis en face l'un de l'autre à une petite table ronde du café voisin. Nous parlons de littérature pour commencer, du *Château des brumes*. Elle évoque la fameuse scène de l'abattoir bien sûr, mais une autre aussi, moins spectaculaire, celle du dialogue entre le prêtre et la vieille dame, dans le car de nuit, et il se trouve que c'est justement le passage du roman dont je suis le plus fier. Au bout d'une demi-heure, elle sait que j'ai six enfants et que je suis séparé d'avec ma Norvégienne, je sais qu'elle en a trois, qu'elle a 45 ans, qu'elle habite Toulouse et qu'elle est *encore mariée mais bon.* Nous prenons une deuxième consommation, une troisième, je ne sais plus quoi. J'aurais bu de l'eau tiède pour rester plus longtemps avec elle. À partir de 21 heures, on me harcèle au téléphone pour que je rejoigne le dîner prévu avec mon éditeur et quelques collègues écrivains. Je propose à Véra de m'y accompagner, je n'aurai qu'à dire qu'elle est une amie de longtemps, retrouvée ici par hasard. Elle rit. *Il faudra se tutoyer, alors ?* Oui, eh bien on se tutoiera. Nous ne nous sommes pas dégonflés. Nous l'avons fait. Nous avons dû nous inventer un passé commun. C'était drôlissime et troublant. Plus le dîner avançait, plus nous jouions ensemble ce jeu complice, plus je la regardais, l'écoutais, et plus j'entendais une moqueuse petite voix intérieure : *mon garçon, tu es pris.*

J'ai oublié de signaler qu'elle avait aux yeux un défaut. Dire qu'elle louchait serait exagéré et dire qu'elle ne louchait pas serait faux. Or j'ai toujours aimé (en plus de leurs fesses) les femmes qui ont, comment dire ? Quelque chose qui cloche. Cela peut être une claudication, une infirmité, une cicatrice, une brûlure visible, une difficulté d'élocution. Pourquoi ? Je ne sais pas l'expliquer. D'autre part, j'ai toujours été attiré par les étrangères. Et Véra cumulait ces deux singularités : elle avait cette coquetterie à l'œil et elle était italienne. De Parme. Allez, disons les choses avec simplicité : à l'âge de 50 ans, je venais de tomber raide amoureux.

Le lendemain soir, nous étions dans le même lit ; la semaine suivante elle prenait le train pour venir me voir dans la Drôme ; la semaine d'après c'est moi qui fonçais à Toulouse. Elle est venue s'installer définitivement chez moi, chez nous, dès l'automne 2003, divorcée. Comme traductrice, elle pouvait vivre n'importe où. Elle a débarqué avec ses trois enfants, deux garçons de 12 et 14 ans et une fille de 15. À cette époque, j'avais moi-même la garde alternée de mes trois enfants « norvégiens », c'est-à-dire mes jumelles de 12 ans et leur petit frère de 11, et celle de ma fille de 17 ans, Laura, que j'ai eue avec ma seconde femme (*On y va, Minou ?*). C'est d'ailleurs avec cette Laura, son mari et leur fils que je suis à la montagne cette semaine, mais ne compliquons pas. Sans compter les séjours fréquents (week-ends et vacances) de mes autres enfants dont l'aîné, que j'ai eu avec ma première femme (appelons-la *Métamorphose*), avait lui-même déjà un bébé. Vous êtes complètement perdue ? On le serait à moins. Je vous fais donc un résumé express : Véra et moi nous sommes retrouvés cet automne de l'année 2003 dans une maison devenue folle avec sept enfants à charge : un de 11 ans, trois de 12 (!), un de 14, une ado de 15 et une autre de 17.

Les années qui ont suivi ont été les plus dingues de ma vie. Nous sommes passés par tous les états : épuisement, euphorie, exaspération, mais surtout nous avons été heureux. Nous avons tellement ri dans cet invraisemblable bazar, au milieu de cette grouillante colonie de vacances, dans ce continuel zoo. Il y a eu des engueulades, des crises, des insultes, des coups même, mais toujours les regrets, toujours les excuses, les réconciliations, toujours les pardons et les larmes qui allaient avec. Par-dessus tout cela, lavant tout en vagues puissantes : nos rires. Et par-dessus tout cela aussi : permanent, ensoleillant, rassurant, le sourire tutélaire de Véra.

C'est pendant ces deux années absolument foutraques que j'ai conçu et écrit mon prix Goncourt, chère Adeline. Personne ne peut imaginer une seconde dans quelles conditions j'ai extirpé ce roman de moi-même, ni où j'ai dû me réfugier pour le faire. Je l'ai écrit dans les trains, les chambres d'hôtel mais surtout (mon bureau ayant été transformé en chambre) : sur la table de la cuisine, sous la table de la cuisine, couché dans mon lit, assis sur mon lit, dans la buanderie (beaucoup), dans la salle de bains et, quand le temps le permettait, aux beaux jours, perché sur un arbre, dans ma voiture garée sous le hangar, derrière le tas de bois, planqué derrière les poubelles. Je vous le jure : j'ai écrit des chapitres entiers aux toilettes avec des boules Quiès dans les oreilles et un casque audio par-dessus. Je mangeais avec ce roman, je dormais avec, je cuisinais avec, je faisais les courses avec. Deux ans de rédaction exaltée. Véra me lisait, me réconfortait, m'exhortait. Je l'ai mérité ce prix, nom de Dieu ! *Nous* l'avons mérité !

Au fait, ça me revient, vous m'avez pressenti pour le Nobel dans un de vos courriers ! Où avez-vous pêché ça ? J'ai bien ri. Imaginez : 1929, Thomas Mann ; 1954, Ernest Hemingway ; 1970, Alexandre Soljenitsyne ; 2014, Pierre-Marie Sotto. Dans la liste précédente s'est glissé un intrus, trouvez-le. Et virez-le !

Non, je me contenterai du Goncourt, qui d'ailleurs ne m'est pas monté à la tête. J'avais 53 ans et il en fallait beaucoup plus pour me déstabiliser. Passé l'effervescence, que je vous raconterai à l'occasion, ça vaut son pesant de cacahuètes (j'ai l'impression de vous avoir écrit ça au moins trois fois déjà, que je vous raconterais quelque chose *à l'occasion*, cela commence à en faire, des poussins perdus en route), passé l'effervescence donc, je me suis retrouvé face à ce questionnement bien connu qui suit pour moi chaque publication : *c'est bien mon garçon* (je m'appelle volontiers mon garçon), *et maintenant ?* Ni plus ni moins que les autres fois.

La vie a continué. Les enfants ont grandi et sont partis les uns après les autres pour faire leurs études : en septembre 2004, Laura s'est installée à Lyon. Ça a été un grand changement parce qu'elle était la grande sœur de tout le monde. Gloria (la fille aînée de Véra) nous a quittés un an plus tard, en 2005, pour Lyon aussi. Aïe, les deux grandes filles disparues !

L'automne suivant, c'est Matéo (le premier garçon de Véra) qui a commencé ses études à Valence, et qu'on n'a plus revu que les week-ends. Là nous avons eu un répit de deux ans, le statu quo, jusqu'à l'automne 2008. Nouveau départ et cette fois trois d'un coup : mes jumelles et Diego (le deuxième garçon de Véra).

Ne restait que Jon, mon petit dernier, à qui Véra était très attachée, et la maison a soudain paru très grande, je peux vous le dire. Aussi, quand il est parti à son tour à l'automne 2009, pour son école de lutherie dans les Vosges, autrement dit pour nous en Alaska, elle a rudement accusé le coup. Encore plus que moi.

Mais bon, on a mis un peu plus souvent de la musique pour tromper le silence, on est sortis davantage.

Seulement Véra a changé. Elle s'est mise

(Me voilà de retour à la maison et je reprends ce récit abandonné vendredi à la montagne. Je l'avais commencé le matin à la table du restaurant avec cette belle neige de l'autre côté des vitres et continué le soir, assis sur le lit superposé que j'ai partagé pendant toute la semaine avec mon petit-fils de 5 ans (l'enfant de Laura), moi en haut, lui en bas. *Qu'est-ce que tu fais, papy ? – J'écris une lettre – À qui ? – À une dame – Tu éteins bientôt ? – D'accord, j'éteins – Bonne nuit, papy – Bonne nuit mon cœur.*)

Véra a changé cet automne-là, et cela a continué pendant l'hiver. Pas dans son comportement. Elle a continué à être ce qu'elle avait toujours été : attentive, généreuse, tendre et fougueuse. Mais souvent, en fin d'après-midi surtout, quelque chose a commencé à se défaire. À se voiler. Je ne sais pas mieux le dire : un voile est descendu sur elle, sur son corps, sur son visage et sur son âme. Un voile impossible à enlever. J'aurais voulu le saisir entre mon pouce et mon index et le retirer, mais je n'ai jamais pu. Nous étions allongés côte à côte, dans notre lit. Elle prenait ma main dans la sienne, la ramenait contre sa poitrine, la tenait là, fermait les yeux et me disait : *parle-moi*.

Alors je parlais. Elle se fichait un peu du contenu. Je pense qu'elle voulait simplement entendre une voix aimée. Je racontais au hasard des souvenirs de mon enfance, de mon adolescence. Si c'était drôle, elle plissait les lèvres, pour me payer de mon effort. Quand elle voulait que je me taise, elle donnait une petite pression des doigts sur ma main.

Dès qu'il y avait du monde chez nous, elle redevenait presque la Véra d'avant. Dès que nous étions seuls, le voile descendait : *parle-moi*. J'ai pensé qu'elle était malade, mais elle n'a jamais voulu consulter ni médecin ni psychologue. Et quand Véra ne voulait pas quelque chose, il était inutile d'insister.

L'été s'est passé comme les précédents, la maison n'a pas désempli. Les repas allaient de huit personnes au minimum à vingt-quatre certains jours. Il me semble qu'il y avait des gens dans la piscine jour et nuit.

Ah oui, la dotation du prix Goncourt est symbolique (10 euros) mais les ventes du livre récompensé explosent et, dès 2007, nous avons fait creuser une belle piscine. J'ai eu du mal à m'habituer à l'idée que c'était la mienne. Les mois suivants j'ai souvent rêvé que j'étais allongé au bord et qu'on venait me virer. Je bredouillais que c'était *ma* piscine et que j'avais donc le droit d'y rester après la fermeture, et que d'ailleurs il n'y avait pas de fermeture, mais je n'arrivais pas à le dire assez fort et surtout je n'étais plus sûr du tout que c'était la mienne, cette piscine. Bon, l'été s'est passé dans cette frénésie. Puis l'automne est arrivé. À nouveau nous deux, à nouveau le silence des pièces vides, à nouveau le voile, à nouveau ma main dans la sienne, contre sa poitrine. *Parle-moi.*

Je suis allé à Lyon le jeudi 28 octobre 2010 pour une lecture à l'université et une séance de signatures en librairie. J'ai commandé mon taxi habituel (nous n'avions qu'une voiture et je la laissais toujours à Véra quand je partais). Il m'a amené à la gare de Valence d'où j'ai pris le train en fin de matinée. J'ai déjeuné avec les libraires, dans un bouchon du Vieux-Lyon, j'ai fait ma lecture à l'université l'après-midi et j'ai signé à la librairie jusqu'à 19 heures environ. Ils ont voulu me garder pour dîner mais j'ai préféré rentrer. J'ai donc repris le TER pour Valence et retrouvé mon taxi qui m'a ramené à la maison. Il était 21 h 15 quand nous y sommes arrivés. J'ai réglé le taxi et il est reparti. Notre voiture était garée à sa place. La maison était éclairée, la porte n'était pas fermée à clef. Je suis entré et j'ai appelé Véra. Elle n'était ni dans la salle, ni dans notre chambre ni dans aucune autre pièce.

Tout était en ordre. Elle n'a laissé aucun mot, aucun message d'aucune sorte. Je ne l'ai plus jamais revue.

Je vous raconterai peut-être la suite une autre fois. Je n'en ai pas la force, là. Et ça me secoue trop fort. C'est ce que je voulais dire dans un de mes premiers courriers en vous écrivant que c'était *comme appuyer sur un bouton*. Dès que je repense à Véra, ou dès que j'en parle à quelqu'un, il y a quelque chose d'automatique qui se passe : ma voix flanche et les yeux des gens se brouillent. C'est comme ça... (allez, je m'autorise trois points de suspension).

Cette lettre n'en finit plus. Je suis désolé. Et elle est absolument autocentrée. J'ai honte. Je vous ai abandonnée à votre solitude, à votre crise, à votre minuscule rente et je vous ai raconté ma piscine, mon Goncourt et mon malheur. La prochaine fois, c'est promis, je m'oublie !

Je vous embrasse.

Pierre-Marie Sotto (écrivain qui n'écrit plus, sauf à Adeline Parmelan)

(Ah oui, puisque vous déménagez, tâchez de trouver un endroit dont le nom présage bonheur et lumière, parce que vous avez fait fort jusque-là : Deuil-la-Barre, Le Cloître, Mouron. Si vous aviez habité en banlieue parisienne, vous auriez bien été capable de choisir (H) ouille(s) !)

PS : J'oubliais : je brûle de savoir ce qui s'est passé dans votre maison humide il y a cinquante-quatre ans !

De : Adeline
À : Pierre-Marie

Le 11 mars 2013

Cher ami,

D'abord un clin d'œil : ce matin, j'ai dû me rendre dans un centre de contrôle technique pour ma (très vieille) voiture, et en remplissant les papiers, j'ai éclaté de rire. Je n'y avais jamais prêté attention, mais devinez quelles sont les trois lettres de ma plaque d'immatriculation ? Je vous le donne en mille : VGT.

Décidément, tous les signaux sont dans le rouge. Il va falloir que je change aussi de voiture si je veux me sortir de l'impasse où je végète depuis trop longtemps. Et, juré craché, je n'irai jamais m'installer à Houilles (où avez-vous été pêcher ce nom idiot ?) ! Ni à Ay, d'ailleurs ! Je vous laisse me suggérer des destinations plus douces !

Cela dit, vous l'aurez noté, j'ai éclaté de rire. Certes, c'était un rire un peu jaune, mais ça compte quand même, n'est-ce pas ?

À présent, venons à l'essentiel : Véra.

Depuis que vous avez évoqué l'existence de votre quatrième femme en disant que parler d'elle revenait à « appuyer sur un bouton », je me doutais qu'il s'était passé des choses graves et douloureuses entre elle et vous. N'ayez pas honte de m'avoir raconté cette part de votre intimité. Surtout pas ! J'y vois un gage de confiance qui me touche au-delà de ce que vous pouvez imaginer, et même si je tremble à cette idée, j'espère m'en montrer digne. Sachez en tout cas combien je compatis à la souffrance que vous avez dû ressentir.

J'ai mille questions au sujet de votre Véra : avez-vous lancé un avis de recherche ? Jusqu'en Italie peut-être, puisque c'est son pays d'origine ? Que disent ses trois enfants ? Les voyez-vous toujours ? Avez-vous écumé les hôpitaux ? Les maisons de repos où les gens tristes viennent parfois trouver asile ?

En tout cas, vous avez perdu votre muse, et un gros morceau de votre cœur : je comprends mieux, maintenant, pourquoi l'écriture se dérobe sous votre plume. Pensez-vous qu'un jour, si vous découvrez les raisons qui ont poussé Véra à disparaître de la sorte, vous pourriez retrouver l'inspiration, cette flamme qui vous fait vivre ?

En attendant ce jour qui viendra peut-être, j'ai l'intuition que vous devriez vous surprendre vous-même. Tenez, pourquoi n'écririez-vous pas des histoires pour les enfants ? Vous voilà seul dans votre maison vide, face à votre piscine également vide (à cette saison, j'imagine qu'elle l'est !), avec votre satané chat, vos blessures, vos doutes, votre blues de sexagénaire, et votre petit-fils de 5 ans qui vous appelle papy quand vous dormez avec lui dans un lit superposé : tout est là ! Pourquoi n'écririez-vous pas pour lui ? Une comptine ? Des poèmes ? Un imagier ? Un abécédaire ? Une histoire de méchant loup ? De lapin ? Imaginez un peu le plaisir que vous auriez à voir votre petit-fils apporter fièrement un livre de son grand-père à sa maîtresse !

Bon, je m'emballe.

Mais, vous savez, c'est parce que les enfants me touchent. Me bouleversent. Me rendent folle d'amour et aussi : de chagrin.

Je ne pensais pas avoir envie de vous raconter ça, mais le récit de votre détresse face à la disparition de Véra me confronte inévitablement à mes propres ombres.

Je vais faire court, pardonnez le style un peu télégraphique. Vous lirez entre les lignes.

Il y a douze ans, j'ai eu un enfant avec mon mari. J'avais 22 ans et je venais d'enterrer mon père. Trois mois et huit jours après, j'ai accouché de mon fils, Philémon.

À cette époque, je n'aimais déjà plus mon mari. Il était violent, je vous l'ai dit, je crois.

Philémon est né avec un problème cardiaque. Il a vécu exactement dix-sept jours.

J'ai sombré. Je suis restée des mois en maison de repos, comme on dit pudiquement. Shootée jusqu'aux yeux aux anxiolytiques. Puis, par miracle, j'ai refait surface.

Quand j'en ai eu la force, j'ai divorcé de mon mari, et c'est comme ça que, paumée et sans ressources, j'ai dû revenir m'installer dans la maison de ma mère, ici, au Cloître.

Ma mère et moi avons cohabité pendant presque neuf ans.

C'est grâce à elle que je me suis reconstruite, peu à peu. J'ai suivi une analyse. J'ai repris des études par correspondance, je me suis passionnée pour la recherche, la lecture, mille et un sujets qui me permettaient de mettre à distance les émotions violentes que j'avais traversées. J'ai obtenu un diplôme et j'ai enfin pu commencer à travailler. D'abord dans une structure associative, puis pour mon propre compte.

En octobre dernier, ma mère est morte brutalement dans des circonstances que je vous raconterai plus tard. J'ai accroché un panneau à la porte de mon cabinet : *Fermé pour cause d'enterrement*, comme dans la chanson de Brassens (*Le Testament*, vous la connaissez ?). Et depuis, je n'y suis pas retournée.

Vous savez (presque) tout, maintenant. À part ce qui concerne la fameuse enveloppe que je vous ai envoyée il y a un mois à peine. Je vous remercie de ne pas l'avoir ouverte, et j'ose encore vous prier de ne pas le faire, au nom de cette amitié qui nous fait du bien à tous deux.

Je me sens très émue de vous avoir parlé de Philémon et de ma mère. De mes morts.

Ce que je peux vous dire, cher Pierre-Marie, c'est que je n'aurais pas pu partager tout ceci avec le directeur de l'agence bancaire. Pas très glamour, n'est-ce pas ? Ça lui aurait coupé ses effets !

Cela dit, je garde l'espoir, un jour, de trouver un homme qui aimera à la fois mes rondeurs et mes lourdeurs. Si je tombe sur cette perle avant qu'il ne soit trop tard, j'aimerais bien donner un petit frère ou une petite sœur à mon Philémon. Mais avant ça, j'ai du pain sur la planche. À commencer par les recherches au sujet de ce que m'a raconté cette vieille folle d'Odette ! Je vais m'en occuper cette semaine et je vous tiendrai au courant.

J'aime bien votre image des poussins perdus, et nous en avons une pleine basse-cour, j'ai l'impression ! Par habitude professionnelle, vous semblez vous le reprocher. Vous avez tort. Laissez l'ordre et la cohérence chronologique. La vraie vie est foutraque, ce n'est pas à vous que je vais l'apprendre. Continuez de me raconter ce qui vous passe par la tête, j'adore ça !

De mon côté, je vais relire votre Goncourt en y cherchant la trace de cette femme que vous avez tant aimée ; je suis sûre qu'elle se dissimule derrière chaque ligne. Et en plus, je vais m'amuser à traquer les passages que vous avez pu écrire enfermé dans vos toilettes !!

Pensez à mes propositions de livres pour les enfants, et dites-moi. Bien entendu, vous ne pourriez pas y évoquer votre goût pour les fesses des femmes et je conçois votre frustration… Si ce n'est que ça, eh bien, écrivez un roman érotique en prenant un pseudonyme !

Je vous embrasse et je vous accorde que la neige est une bonne raison de trouver que la vie est belle. Mais ici, devant ma fenêtre, il n'y a que de méchantes gouttes de pluie qui viennent casser les tiges de mes premières jonquilles. Les idiotes ont cru au printemps, et les voilà bien punies. Dans ma prochaine vie, j'irai vers le soleil et je planterai des cactus. Non ! Des fruits de la passion !

À très bientôt, cher écrivain qui n'écrit plus. N'oubliez pas de m'écrire !

Votre Adeline toute remuée

De : Adeline
À : Pierre-Marie

Le 11 mars 2013

Pierre-Marie, je suis très contrariée ! Je viens de retourner toute ma bibliothèque : impossible de remettre la main sur votre *Mélodie du crépuscule* !

Bon, je me calme. Si ça se trouve, j'ai mal cherché. Mais quelle déception ! J'avais tellement hâte de le relire après ce que vous m'avez raconté. Pff…

De : Pierre-Marie
À : Adeline

Le 12 mars 2013

Chère Adeline,

Vous ne m'aviez pas dit que votre mari était violent, vous m'aviez juste dit que c'était un *sale type*. Un sale type violent, donc. Vous êtes grande et forte, vous n'auriez pas pu lui casser la figure ? Vous auriez dû. Quand mes enfants avaient des problèmes avec un camarade méchant ou humiliant, à l'école, je leur ai toujours donné ce conseil : ne discute pas, pète-lui la gueule. Véra était très en colère. Elle prétendait qu'il vaut mieux comprendre, argumenter, parler. Oui, je suis d'accord, ma raison me dit la même chose, mais au fond de moi le vrai désir, c'est de leur taper dessus, à ces gens-là.

Quel itinéraire pour votre jeune âge ! Si je vous ai bien lu, et si je n'en garde que les grands événements, enfin ceux que vous m'avez confiés, votre vie jusqu'à ce jour s'est déroulée ainsi, est-ce que je me trompe ? :

Vous êtes née en 1979 ; de 1979 à 1991 vous grandissez et grossissez (un peu trop) ; en 1992 (vous avez 13 ans) vous découvrez la double vie et l'homosexualité de votre père ; en 1993 vous grossissez de plus en plus ; en 1994 votre père quitte le foyer ; en 1999 (vous avez 20 ans) vous vous mariez avec un sale type violent ; en 2001 (vous avez 22 ans) vous apprenez la mort de votre père et vous donnez naissance à un bébé (Philémon) qui meurt à l'âge de 17 jours ; de 2001 à 2003 vous faites une dépression ; en 2003 (vous avez 24 ans) vous vous installez au Cloître avec votre mère ; de 2003 à 2012 vous vous *reconstruisez* ; en 2012 (vous avez 33 ans) vous perdez votre mère ; en 2013 vous commencez une correspondance avec l'écrivain Pierre-Marie Sotto.

Vous m'en voulez, n'est-ce pas ? Vous avez raison. C'est monstrueux d'aligner ainsi les vicissitudes de votre existence. Mais vous ne me donnez pas beaucoup de matière à me réjouir. Imaginez une seconde que la chance ait été de votre côté au lieu de vous fuir :

Vous êtes née en 1979 ; de 1979 à 1991 vous grandissez harmonieusement au sein d'une famille aimante ; en 1992 (vous avez 13 ans) vous intégrez l'équipe de France de gymnastique ; en 1993 (vous avez 14 ans) vous êtes la plus jeune bachelière de France ; en 1999 (le jour de vos 20 ans !) vous rencontrez Franck, héritier des ciments Lafarge, l'amour de votre vie, et vous l'épousez ; en 2003 (vous avez 24 ans) vous installez vos parents dans une propriété de huit hectares dans l'arrière-pays niçois ; de 2003 à 2008 vous donnez naissance à quatre enfants, deux garçons et deux filles (double choix du roi !) ; en 2013 l'écrivain Pierre-Marie Sotto vous contacte pour écrire votre biographie, vous ne donnez pas suite.

Pardon, Adeline, je ne suis pas fier de moi, mais ça doit être un mécanisme de défense. Il y a des choses que je ne supporte pas, alors je me défile, je blague, je botte en touche, comme on dit au rugby. La mort d'un enfant est une de ces choses. Je vous ai dit que je préférais les enterrements aux mariages, et que je vous expliquerais pourquoi. À présent que je sais ce qui vous est arrivé, je me dispenserai de cet exercice.

L'enterrement d'un bébé de dix-sept jours.

Je vous admire d'avoir survécu. Oui, sincèrement, je me fais minuscule et je m'incline. Vous parlez de reconstruction, d'études par correspondance, de diplômes obtenus, de travail. Où avez-vous puisé cette incroyable force ? J'aurais sombré je crois, plus encore que vous l'avez fait, et je ne serais jamais remonté de cet abysse. Ou bien alors peut-être en essayant de transposer cette souffrance dans mon écriture. L'art peut transcender, sublimer, nos malheurs devenant notre matière première. Enfance heureuse : malédiction pour un écrivain, dit-on ! Mais vous ? Où l'avez-vous fourré, votre désespoir ? Comment l'avez-vous maté ? Par la chimie, bien entendu, et par l'analyse peut-être, mais surtout j'en suis sûr, grâce à cet espoir que vous gardez de donner un petit frère ou une petite sœur à votre Philémon. J'ai trouvé cela bouleversant, je dois vous le dire. Et si un jour (dans le cas où notre correspondance durerait) vous m'appreniez cette nouvelle, je crois que j'en concevrais pour vous un bonheur incommensurable.

Oui bien entendu, j'ai fait trois voyages en Italie, à la recherche de Véra. Elle avait quitté Parme vingt-cinq ans plus tôt, mais j'ai rencontré là-bas beaucoup de personnes qui se souvenaient très bien d'elle, avec tendresse et affection pour la plupart, ce qui ne m'a pas étonné. J'ai rencontré aussi quelques personnes de sa famille. On me faisait entrer, on m'offrait à boire. Le scénario était toujours le même : sourire dès que je me présentais comme le mari de Véra. Stupéfaction et tristesse dès que j'évoquais sa disparition. En tout cas, aucune trace d'elle en Italie.

En France, toutes les recherches d'usage ont été faites. Je me suis adressé secrètement à des radiesthésistes. L'un l'a vue *dans l'eau*, l'autre *en Espagne*. Ses enfants ont été courageux et solidaires. Seule, Gloria, la fille aînée, qui avait 23 ans au moment de la disparition, n'a jamais vraiment décoléré. Elle ne pardonne pas. Chez moi aussi parfois, c'est la rage qui domine. Je lui en veux de nous avoir laissés dans cette détresse. Pendant des mois j'ai cherché un mot qu'elle aurait caché dans la maison. J'ai fouillé partout. Aujourd'hui encore, il m'arrive de me lever en pleine nuit, persuadé d'avoir trouvé l'endroit. Je fonce à 3 heures du matin vers une lessiveuse abandonnée au fond du garage ou un livre aimé de nous deux dans lequel elle aurait pu glisser le message qui me dirait enfin... pourquoi. Car si la première question est : où est-elle ?, la seconde, qui torture, est : pourquoi ?

Un roman érotique ? Ça va pas, la tête ! Je suis trop bien élevé, madame. Un jour, à l'occasion d'une table ronde en public, j'expliquais que longtemps je m'étais refusé à écrire certaines choses, sexuelles en particulier, de peur que mon père les lise. Mais une fois mon père mort, j'ai eu peur que ma mère puisse les lire. Et quand elle est morte à son tour, je suis passé aux enfants : que penseraient-ils de leur père s'ils lisaient ça ! À ce moment-là une auditrice m'a lancé : oui, et que penseraient vos lecteurs ? Elle avait raison. Mon argument ne tient pas. Le problème est avec moi-même. Trop bien élevé, je vous dis !

Quant aux histoires pour enfants, c'est une idée charmante, mais je crois que je vais me contenter de les leur raconter, au bord du lit, comme ça, juste entre eux et moi.

Décidément, j'ai hâte d'en savoir plus sur votre mère. Allez-vous bientôt soulever le voile ?

Votre écrivain préféré.

Pierre-Marie Sotto

(Je vous poste ce jour un *Mélodie du crépuscule* dédicacé.)

De : Adeline
À : Pierre-Marie

Le 12 mars 2013

Cher Pierre-Marie,

Vous êtes un incorrigible écrivain ! Non, non, ne me regardez pas de travers avec votre air de garçon penaud : même en pleine « pétole » créative, vous continuez de voir le monde, la vie, les gens, à travers le filtre du roman.

C'est votre karma, votre croix, votre fardeau, mais ne confondez pas tout, par pitié ! Vous allez dire que je me cabre, mais je n'ai pas l'habitude qu'on me décortique comme un personnage. D'abord, vous déroulez la chronologie de ma vie à la manière d'un scénariste qui voudrait s'assurer de la vraisemblance de ses inventions, et ensuite, vous me proposez une vie de rechange ? Un itinéraire bis ? Un plan B ? Allons bon. Dois-je en déduire que ma vie est trop triste pour paraître crédible ? Qu'en tant que personnage de fiction, je ne vous conviendrais pas ? Si vous m'aviez inventée, votre éditeur vous demanderait de revoir votre copie, c'est ça ?

Oui, Pierre-Marie, je suis en colère contre vous, et je vous le dis d'autant mieux que j'apprends à ne plus étouffer ce sentiment. Si vous pouviez voir mes yeux, à l'instant où je vous écris, vous seriez cloué au mur. Et puisque vous me le suggérez, vous risqueriez de prendre un poing dans la figure, tiens !

Vos multiples épouses ne vous ont-elles jamais dit qu'il y a une énorme différence entre les personnages et les vrais gens ? Tant que vous êtes en train d'écrire, vous avez tous les pouvoirs, d'accord. Mais dans la réalité, vous n'en avez pas plus que n'importe qui. Alors n'essayez pas de me créer une vie de rêve avec l'héritier des ciments Lafarge – un matériau lourd, au demeurant, alors que j'aspire à la légèreté ! Et acceptez-moi comme je suis : grosse, pathétique peut-être, mais VIVANTE.

Bon, j'ai fini de vous voler dans les plumes, je file à la chorale. À défaut de vous taper dessus, je chanterai à tue-tête en pensant à vous, ça me défoulera !

(Le lendemain, calmée.)

J'ai failli effacer tout ce qui précède, mais après réflexion, je le laisse.

Je ne peux pas à la fois revendiquer d'être VIVANTE, et en même temps refuser cette vie qui, parfois, déborde. Au fond, je nourris le secret espoir de devenir mince lorsque j'aurai purgé les émotions que je rentre depuis toujours à l'intérieur de moi. Vous faites les frais de ce régime, Pierre-Marie, désolée !

Vous savez, j'ignore comment j'ai fait pour « revenir » après la mort de mon petit garçon. Je suis revenue, c'est tout. Ensuite, ce sont des arrangements. J'ai trouvé du réconfort dans l'analyse, c'est certain, et aussi dans une forme de spiritualité. Je ne pratique aucune religion, mais j'ai découvert en moi un espace pour l'invisible, pour le sacré, et ça m'apaise. Je ne vais pas à la messe, mais je pratique un peu la méditation, en plus du chant et de la danse. C'est un sujet très intime, je m'en tiens là pour l'instant.

Ce que je voulais dire hier, c'est que je ne suis pas une héroïne échappée d'un roman de Zola ou de Dickens : je suis comme des millions de gens qui se débrouillent avec ce qu'ils ont. Et dans mon cas, contrairement à ce que vous semblez croire, j'ai plutôt de la chance ! La chance de ne pas être à la rue et d'être à l'abri des besoins élémentaires, la chance d'avoir des outils intellectuels à ma disposition, un entourage amical, et un (gros) corps en bonne santé. Pour le reste, je compose.

Et vous, Pierre-Marie ? Comment faites-vous pour supporter l'absence de Véra ? Comment faites-vous pour combler ce vide, ce « trou » ? Quelles petites stratégies avez-vous mises en place ? Comment vivez-vous avec cette rage qui vous réveille la nuit et vous oblige à fouiller votre maison ? Vous sentez-vous seul pour la première fois de votre trépidante vie ?

Vous dites que vous auriez sombré si vous aviez perdu un enfant : qui sait ?

Qui sait quelles forces inconnues vous habitent ? Regardez simplement dans votre arbre généalogique : combien de grands-mères, d'arrière-grands-pères, de grands-oncles et tantes ont-ils été confrontés à la perte d'un enfant ? Et ensuite, combien sont restés debout ? Combien sont retournés aux champs ? À l'usine ?

J'ai fait comme eux : je suis retournée labourer mon champ.

Je vous dis tout ça sur un ton un peu sec, c'est vrai, mais ce sont des sujets qu'on ne peut pas aborder en douceur, il faut viser le nerf directement. Si j'ai pris l'exemple de l'arbre généalogique, ce n'est pas par hasard : mes premières recherches dans les archives semblent aller dans le sens d'Odette, et si les faits se confirment, je serai en mesure de vous démontrer que les fantômes nous hantent bel et bien, d'une génération à l'autre.

En attendant, permettez-moi deux grosses bises sur vos joues d'homme (trop) bien élevé.

Adeline

PS : Je suis un peu déçue que vous n'ayez pas envie d'écrire pour les enfants, et encore plus déçue que le roman érotique vous rebute. Personnellement, je suis cliente à condition que la plume soit bonne. Si j'ose dire !

PPS : Je vous remercie infiniment de m'envoyer *Mélodie du crépuscule* dédicacé !

De : Pierre-Marie
À : Max Vallardier

Le 15 mars 2013

Cher Max,

Comment vas-tu depuis l'été dernier ? Ta sciatique ? Et Josy ?

C'est fou, on se promet de se revoir vite, on tourne à peine le dos et huit mois sont passés. J'ai failli décrocher mon téléphone, à l'instant, mais pour ce que j'ai à te demander là, un mail conviendra mieux, tu comprendras pourquoi. Je m'adresse à toi et à personne d'autre pour deux raisons : la première est que tu es mon ami, la seconde parce que tu as le privilège d'habiter cette bonne ville du Mans ! Bon, je t'explique, suis-moi bien :

Bien que ma dernière publication remonte à quatre ans, mes lecteurs continuent à m'envoyer pas mal de courrier, figure-toi. Ils sont bien fidèles et bien patients ! Ils m'adressent aussi parfois des manuscrits pour que je les lise, que je leur en fasse la critique et que je leur donne des conseils. Tu te doutes bien que je n'en ai aucune envie. Bref, je reçois voici trois semaines environ le manuscrit d'une lectrice dans une grosse enveloppe. Je lui réponds avec toute la diplomatie dont je suis capable que je ne le lirai pas et lui propose de le renvoyer. Là-dessus elle insiste, refuse de me donner son adresse postale pour le retour, et joint une photo destinée à me convaincre, je cite, *qu'elle n'est pas une lectrice comme les autres.*

Je lui réponds à mon tour que cette photo ne me dit rien du tout (alors qu'en fait, cher Max, elle me dit quelque chose, cette photo, et comment !), je l'informe que je n'ai d'ailleurs pas l'intention d'entamer avec elle une quelconque correspondance, et j'explique pourquoi. Mais cette réponse entraîne sa réponse à elle, qui entraîne la mienne qui entraîne la sienne qui entraîne la mienne, etc. Tu l'as compris, nous nous sommes pris au jeu. Une complicité s'est établie, comme lorsque tu rencontres une personne dont tu sais au bout de quelques minutes seulement qu'elle te convient.

Je lui confie des choses que je n'ai pas dites à plus de trois personnes dans ma vie, et elle fait de même. Il est rare que deux jours s'écoulent sans que nous

nous écrivions. Nous y prenons plaisir tous les deux, alors pourquoi y renoncer ?

D'autant plus, c'est important, qu'elle a une sacrée plume. Elle nie toute ambition littéraire, mais je connais beaucoup de collègues qui ne lui arrivent pas à la cheville. Elle écrit avec simplicité, sans recherche d'effets, et ça me plaît beaucoup, un peu comme ces femmes qui sont belles et qui ont l'air de ne pas le savoir, tu vois ? Il lui arrive de déraper, bien sûr, elle est capable de lâcher des : *Il me semble que la matière première de l'écriture est là : dans ces trous de l'âme d'où s'écoulent nos souffrances*, ou des balourdises de ce tonneau. Mais c'est un contre-exemple. Elle peut aussi écrire : *... devant ma fenêtre, il n'y a que de méchantes gouttes de pluie qui viennent casser les tiges de mes premières jonquilles. Les idiotes ont cru au printemps, et les voilà bien punies.* C'est joliment troussé, non ? Bref, elle est naturelle, pas polluée. C'est plutôt moi qui fonce tête baissée dans le piège de phrases lourdingues qui puent la littérature, heureusement que je sais me relire et me corriger !

Bon, me diras-tu : tu corresponds avec une femme qui se confie à toi et qui écrit avec naturel, et alors ?

Alors, il y a quelque chose qui cloche, Max.

Ce qui cloche, c'est que j'ai des doutes. Des doutes sur sa personne.

Cette Adeline Parmelan (c'est son nom) m'expose son histoire, ses drames (tu verrais par où elle est passée !), ses espérances. Elle me parle d'elle, de sa famille. Cela se passe dans des régions que je ne connais pas du tout (la banlieue parisienne) ou mal (la Sarthe, sauf Le Mans parce que vous y êtes). Tout cela sonne vraiment authentique. On y croirait, comme dit l'autre, et... j'y crois.

Or voilà qu'au détour d'une de ses lettres, je tombe

sur cette phrase-ci : *... je suis allée me faire belle. Pour moi, c'est une épreuve,* pourquoi *je me juge moche, même si certains et certaines s'évertuent à me démontrer le contraire.* C'est un italianisme. Ce sont les Italiens qui commettent cette faute : en italien, *parce que* se dit *perché*, qui ressemble à *pourquoi*. Malgré la légère persistance de son accent, Véra parlait un français irréprochable et limpide, tu t'en souviens, mais elle la faisait parfois, cette faute, en particulier quand elle était en colère ou très émue. Par exemple, quand elle était à bout d'arguments, dans une dispute, elle pouvait s'exclamer : *Et puis merde ! C'est comme ça pourquoi c'est comme ça !* On s'est assez moqués d'elle à cause de ça, les enfants et moi, mais elle ne s'est jamais corrigée, comme si elle avait voulu conserver coûte que coûte ce bout d'Italie dans sa bouche, cette trace d'avant la France. Tu imagines le coup au cœur que j'ai eu en trouvant sous la plume de ma correspondante cette tournure si familière à mes oreilles et surtout tellement indissociable de Véra.

Hasard, diras-tu, et tu as certainement raison, sauf qu'au milieu de la nuit dernière, je me réveille en sursaut, comme souvent, avec une pensée claire, précise, lucide : *Parme-lan... Parle-moi...* Je t'ai raconté comment Véra me demandait ça, les derniers mois, en me tenant la main, avec cet air d'être déjà si loin, si seule, si triste, et ce désir de s'accrocher à moi avant de sombrer ou… de partir : *parle-moi.* Et voilà que cette femme s'appelle… *Parme-lan.* Je ne peux pas m'empêcher de faire le rapprochement : *parme-lan... parle-m'en... parle-moi...*, sans compter qu'il y a *Parme* aussi dedans !

Max, je ne suis pas en train de devenir fou. Il faut que tu m'aides. J'ai besoin de certitude. S'il te plaît, saute dans ta voiture quand tu auras un moment de libre et roule jusqu'à ce village qui s'appelle Le Cloître, c'est à vingt-sept kilomètres du Mans, j'ai vérifié, et trouve le 1, impasse Marc-Bloch. Tu peux faire ça pour moi ? Prends ça comme un jeu ! Tu serais détective privé et ce serait ta mission. Vas-y et fais-moi ton rapport. Dis-moi qui habite cette maison, quel est le nom qui figure sur la porte ou sur la boîte aux lettres, quelle est la voiture garée devant et quel est son numéro d'immatriculation. Dis-moi comment est la femme qui vit là (au cas où elle existe et que tu parviennes à la voir).

Et si tout est en ordre, je veux dire si tout coïncide avec ce qu'elle prétend, alors j'oublierai mes sornettes et je ne t'embêterai plus avec ça.

Je t'envoie mon amitié et ma confiance.

Embrasse Josy.

Pierre-Marie

PS : Quand est-ce que vous faites un saut dans la Drôme ? Je serais heureux de vous voir ici, tu le sais.

De : Adeline
À : Pierre-Marie

Le 16 mars 2013

Cher Pierre-Marie,

À mon tour de recevoir une enveloppe de vous ! Le facteur vient de déposer le livre dans ma boîte, et je me suis jetée dessus ! Merci, merci, merci !

Je dois dire quand même que la dédicace m'a laissée perplexe. Pourquoi ces quelques phrases en italien ?

Je vous l'ai dit, je crois : je ne parle aucune langue étrangère. Du coup, j'ai eu recours à une traduction par Internet et ça a donné un charabia très drôle, mais incompréhensible. Si ce n'est pas trop vous demander, pourriez-vous éclairer ma lanterne ? C'est peut-être une citation littéraire, là, je sèche.

Mais à part ça, je suis très contente. Le livre sera relu sous peu, et je vous donnerai mes impressions (si ça vous intéresse), à la lumière de nos confidences.

Pardon pour ce message très bref aujourd'hui, mais figurez-vous que, contre toute attente, je dois de nouveau passer par l'épreuve de la salle de bains !! Je vous avais bien dit que « souvent, femme varie », et ça se vérifie encore pour moi. Le directeur d'agence bancaire a refait surface très poliment, très gentiment : du coup, je déjeune avec lui ce midi. En tout bien tout honneur, mais sait-on jamais ? Je préfère assurer mes « dessous ». À ma place, Pierre-Marie, vous choisiriez de la lingerie noire ou quelque chose de passe-partout, une petite cotonnade innocente ? Oh ! là, là ! quelle oie !

Bon, je vous embrasse : la crème dépilatoire m'attend !
Votre Adeline

De : Max
À : Pierre-Marie

Le 17 mars 2013

Cher Pierre-Marie,
Quel drôle de mail m'envoies-tu là ? Je ne vais pas

y aller par quatre chemins : j'ai l'impression que tu dérapes sérieusement, mon vieux. La dernière fois que nous nous sommes vus, c'est vrai, je t'avais trouvé plus apaisé et je t'avais quitté confiant. En revanche, Josy non. Tu la connais : elle renifle les embrouilles à cent kilomètres. Sur le chemin du retour, elle m'a même dit : « Ne te fie pas à sa bonne mine, c'est l'œil du cyclone. Si Pierre-Marie s'obstine à rester tout seul dans cette maison avec son chagrin, il va devenir fou. » Je dois t'avouer qu'à la lecture de ton message, j'y ai pensé.

Écoute, je ne sais pas quoi te dire au sujet de cette femme qui t'écrit. D'un point de vue pratique, de toute façon, je ne peux rien faire pour toi en ce moment : je me suis fait opérer de la hanche il y a huit jours, et je viens tout juste de rentrer à la maison. J'en bave, mon pauvre, si tu savais. Seul rayon de soleil : l'infirmière qui vient me piquer les fesses tous les matins a une paire de loches à se damner. Tu me connais, je n'ai jamais eu les yeux dans ma poche. Mais même ça, ça ne compense pas le reste. J'ai le moral dans les chaussettes.

Au CHU, ils m'ont promis que les douleurs allaient s'atténuer, mais je n'en vois pas le bout. Jamais pris autant de cachetons de toute ma vie, et le pire, c'est que je dois repasser sur le billard pour l'autre hanche dans un mois ! Voilà ce qui arrive aux anciens profs de sport. Alors inutile de te faire un dessin, je ne sauterai pas dans ma voiture pour jouer les espions.

Oublie tes recoupements à la noix, Pierre-Marie. Oublie Véra.

Quitte cette maison avant de devenir complètement dépressif, et va prendre l'air ! Si j'avais mes deux jambes, c'est ce que je ferais. Je bourrerais ma valise, et zou : les Antilles, la Californie ! (Ne va pas en Italie, s'il te plaît.)

Je sais combien tu as aimé Véra. Mais après tout ce temps sans un seul signe, il faut que tu admettes qu'elle est sortie de ta vie. Josy, qui a lu ton courrier, t'engueule et t'embrasse bien fort. Du Josy tout craché, quoi !

Moi aussi, je t'embrasse. Quel chanceux tu es : toute ta vie le cul sur une chaise, et te voilà en pleine santé à l'âge de la retraite. Churchill l'avait dit : *no sport*. Mais j'ai toujours été nul en anglais, dommage.

Ton ami grabataire.
Max

~

De : Adeline
À : Pierre-Marie

Le 22 mars 2013

Bonsoir Pierre-Marie,

Puisque vous n'avez pas répondu à mes deux derniers messages, et que je n'ose croire que vous restiez indifférent à mes dilemmes de lingerie, j'en déduis que vous êtes momentanément coupé du monde. Une panne de votre ordinateur, peut-être ? J'espère en tout cas qu'il ne vous est rien arrivé de désagréable. Dès que vous en aurez le temps, donnez-moi un signe de vie, je suis de nature inquiète.

Je vous écris quand même, dans le vide, en espérant que vous pourrez me lire. Je dois vous avouer que ça me rappelle des souvenirs peu glorieux. J'ai eu, il y a quelques années de ça, une relation avec un homme qui passait son temps entre deux trains, deux avions, deux montgolfières, que sais-je encore. Comme il n'était jamais joignable et que j'avais besoin de lui, je parlais pendant des heures à son répondeur téléphonique. Vous n'imaginez pas tout ce qu'on peut confier à ces boîtes vocales ! Je sais, c'est du Adeline Parmelan tout craché : triste et pathétique. Avec moi, il va falloir vous y habituer.

Alors ce soir, tout aussi désolant, je vais faire les questions et les réponses. Qu'en dites-vous, Pierre-Marie ?

— C'est parfait, Adeline, vous avez carte blanche !

— Voulez-vous savoir comment s'est déroulé mon déjeuner avec le directeur de l'agence bancaire, Pierre-Marie ?

— Oh oui, Adeline, je brûle de l'apprendre !

— Je m'en doutais. Voulez-vous savoir pour quels dessous j'ai opté ?

— La dentelle noire, je parie !

— Loupé : j'ai choisi le coton blanc.

— Oh.

— Je vous sens déçu, Pierre-Marie.

— Mais enfin, Adeline, cessez de vous dévaloriser ! Je n'ai rien dit.

— Vous l'avez pensé très fort, Pierre-Marie, et vous avez raison : je n'assume pas ma féminité. Mais ça n'a pas d'importance pour cette fois, car je suis restée sage et totalement habillée.

— Mince !

— S'il vous plaît, évitez d'employer ce mot avec moi, Pierre-Marie. Voulez-vous savoir ce que nous avons mangé ?

— Est-ce bien nécessaire ?

— Vous avez raison, allons droit au but : j'ai passé

un très bon moment. Et vous savez quoi ? J'ai beaucoup ri ! Romain (car il s'appelle Romain) est très fantasque, et il ne se prend pas du tout au sérieux. Il m'a raconté ses déboires sentimentaux, ses tentatives de rencontres sur des sites Internet, ses rendez-vous pittoresques. Il m'a si bien décomplexée que j'ai fini par lui cracher le morceau au sujet de ma cuite minable de l'autre soir. Je lui ai tout dit jusqu'à mon coma au milieu des nounours. Quel soulagement !

— Ce Romain a l'air d'être un type bien. Vous en pincez pour lui, Adeline ?

— Trop tôt pour le dire, Pierre-Marie. Mais je ne vous cache pas que j'attends avec plaisir le prochain rendez-vous.

— Il y en a un ?

— Oui, Monsieur ! Dans trois jours. Au théâtre.

— Vous devez être contente !

— Oui, mais prudente. La dernière fois que je suis allée au théâtre, c'était d'un ennui mortel. Et puis, j'ai tellement de choses à régler dans ma vie que je ne suis pas certaine d'avoir le temps pour une romance.

— Ah non, Adeline ! Vous n'allez pas vous défiler ! C'est encore votre peur qui parle ! Je vous interdis de vous dégonfler !

— Eh ! Tout doux, Pierre-Marie ! Ce n'est pas parce que vous êtes un bourreau des cœurs qu'il faut vous croire tout permis, hein !

— Moi ? Un bourreau des cœurs ? Laissez-moi rire ! Mon cœur est en piteux état, je vous le rappelle.

— Je commence à croire que vous aimez votre malheur, Pierre-Marie.

— Vous m'accusez de complaisance, c'est ça ?

— En fait, je viens de relire votre *Mélodie du cré-*

puscule. Je tremble à l'idée que vous finissiez comme votre Edmond.

— Aucun risque. Je vous l'ai dit : je suis beaucoup trop raisonnable pour sombrer dans la folie.

— Il n'y a que les fous pour se croire raisonnables, Pierre-Marie !

— Où avez-vous pêché cet aphorisme, Adeline ? Dans le dictionnaire des clichés ?

— Vous avez raison. Il est tard, et urgent de clore cette conversation. Je m'inquiéterai pour vous demain. Bonne nuit, Pierre-Marie.

— Bonne nuit, Adeline. Faites de beaux rêves.

De : Pierre-Marie
À : Adeline

Le 25 mars 2013

Chère Adeline,

Je suis de retour à la maison après quelques journées pleines de confusion. Je n'ai pas pu vous écrire et ça m'a manqué. Vous m'avez manqué. Vous m'avez manqué plus que de raison. Je veux dire : il n'y a aucune raison raisonnable pour que vous m'ayez autant manqué. Mais c'est un fait : vous m'avez manqué. Je m'embrouille, laissez tomber.

Mon trop long silence tient en trois explications : 1) ma chaudière m'a lâché ; 2) ma fille Ève (ma première d'avec *On y va, Minou ?*), chez laquelle je me suis réfugié (elle habite à Valence), est à ramasser à la petite cuillère (elle divorce) ; 3) un ami cher vient de décéder (incinération ce matin).

Je vous raconte dès que tout ça se pose un peu, et avec moins de parenthèses, c'est promis.

À très bientôt.

Votre Sotto débordé

PS : Quand même ce mail, commencé l'autre jour et non envoyé. C'était avant votre rendez-vous galant et donc avant votre rapport (je veux dire avant le rapport que vous m'en avez fait). J'étais d'humeur guillerette : *Adeline, du noir, du noir, du noir ! Pas d'hésitations ! Mettez-le-moi dans le rouge, ce banquier ! Débitez-le ! Apurez son compte ! Mettez-lui la main à son gros paquet fiscal et faites gr*

Là, ma chaudière a rendu bruyamment l'âme et je ne sais plus ce que je voulais écrire. ... *grimper ses actions*, peut-être ?

À demain. Je vous embrasse.

~

De : Adeline
À : Pierre-Marie

Le 25 mars 2013

Pierre-Marie, enfin ! Je commençais à me faire un sang d'encre à propos de mon écrivain préféré, j'ai même envisagé d'appeler les hôpitaux de toute la région drômoise !

Mais dites-moi, vous ne seriez pas en train de nous faire une petite « parmelite » ? Une chaudière, un divorce, et un décès : tant d'ennuis en si peu de jours, c'est louche. J'espère sincèrement que ma poisse naturelle ne vous contamine pas via le réseau, j'en serais navrée.

Pardonnez mes plaisanteries malvenues, c'est le ton de votre message qui me désarçonne : ce mélange explosif de noirceur et de grivoiserie me fait dire n'importe quoi et, je vous l'avoue, me trouble tellement que je viens de me servir un (petit, très petit) verre de schnaps pour faire passer l'émotion. Du schnaps, vous vous rendez compte ? C'est une bouteille que ma mère n'a pas eu le temps d'ouvrir : eh bien, ce soir, c'est fait ! Je bois à la santé de Pierre-Marie Sotto, de sa défunte chaudière, du défunt mariage de sa fille, de son ami incinéré et de ma défunte mère. Tant de morts… Allez, un deuxième.

Pour tout vous dire, j'ai mis le *Requiem* de Mozart à fond dans mon cloître, et il règne chez moi une ambiance digne des meilleures boîtes de nuit parisiennes. Vous me verriez, Pierre-Marie, toute seule avec mon verre, devant mon écran, en train de mimer les gestes d'un chef d'orchestre imaginaire ! L'ampleur de cette musique me transporte au-delà de tout, je n'exclus pas un troisième schnaps. Voire un quatrième pour faire passer le précédent.

C'est moche de boire toute seule, Pierre-Marie. C'est décadent et obscène. Accompagnez-moi si vous êtes un homme !

Et dansez !

Et chantez !

Et priez pour l'âme de votre ami !

Ouh ! là, là ! je suis dans un drôle d'état, ce soir. Vous croyez que c'est à cause de demain ?

Parce que c'est demain que je vais au théâtre ! Je ne sais même plus le titre de la pièce, tout ce que je sais, c'est que je vais être obligée, cette fois, de faire dans la dentelle noire.

Vous, en revanche, on ne peut pas dire que vous avez fait dans la dentelle : je ne vous imaginais pas si rabelaisien, Pierre-Marie ! Vous voyez, la plupart des gens croient que les écrivains sont des êtres austères, des intellos privés de sens de l'humour, des moines, des types barbants et coincés, mais c'est parce qu'ils ne vous connaissent pas !

D'ailleurs, j'y pense, si votre « pétole » s'installe durablement et que vous avez du mal à payer les traites de votre piscine, que diriez-vous d'ouvrir une agence de coaching pour accompagner les jeunes oies dans mon genre à leurs rendez-vous galants ? Vous excelleriez !

Agence ou pas, coachez-moi encore demain : sans le schnaps et Mozart, ça va être une autre chanson…

Sanctus, sanctus !

Je vous embrasse, cher ami !

Adeline, qui n'a pas besoin de chaudière ce soir

PS : Je suis très contente de vous avoir si déraisonnablement manqué.

De : Pierre-Marie
À : Max

Le 25 mars 2013

Cher Max,

Désolé d'avoir tant tardé à te répondre. C'est tout sauf de l'indifférence à ton triste sort, mais il se trouve qu'en quelques jours j'ai dû affronter trois deuils : celui de ma chaudière (qui n'avait que sept ans, je suis maudit avec ces saletés d'appareils), celui que mon Ève doit faire de son mariage (ça y est, ils divorcent) et pour finir celui bien triste et bien réel de mon ami Gérard (celui qui chantait Brassens, je t'ai souvent parlé de lui).

Mon pauvre ! Tu es la dernière personne que j'imagine clouée au lit ou dans un fauteuil. Tu dois crever d'ennui et fulminer d'impatience, non ? À ce propos, sais-tu, cher professeur de gymnastique, qu'il existe des objets rectangulaires composés d'une couverture cartonnée avec, à l'intérieur, des pages couvertes de petits caractères noirs ? Ça s'appelle des *livres*. Et je te jure que ça fait rudement bien passer le temps. Pardon, je te charrie, mais ça m'étonnera toujours autant : comment fais-je pour être l'ami d'un type dont la dernière lecture est sans doute le code de la route ?

Mystère. Et beauté du mystère.

Bon, laisse tomber Le Cloître et cette Parmelan. Vous avez raison, Josy et toi : je débloque.

Ceci dit, j'ai acquis entre-temps une certitude : il y a bien une Adeline Parmelan au 1, impasse Marc-Bloch dans ce village du Cloître puisque j'y ai envoyé un colis à son nom et qu'elle l'a réceptionné.

Ne vous en faites pas. Je ne suis pas en train de passer à l'Ouest. Mes fantômes, je les apprivoise.

Je vous serre dans mes bras tous les deux.

Pierre-Marie

PS : Tu ne me fais pas rêver avec la paire de loches de ton infirmière. Tu sais parfaitement que je suis plutôt fesses.

PS 2 : Prends soin de toi.

PS 3 : Josy, si ça peut te rassurer, j'arrête la correspondance avec cette Parmelan.

~

De : Pierre-Marie
À : Adeline

Le 26 mars 2013

Chère Adeline,

Mais vous êtes déchaînée, ma parole ! On ne vous tient plus ! Je me demande si mes conseils *rabelaisiens* ne sont pas complètement à côté de la plaque, du coup. J'ai sans le vouloir vidé de l'huile sur un feu ardent, bourré de charbon une locomotive en surchauffe, activé au soufflet une cheminée impétueuse, pressé la pédale d'accélérateur d'un moteur en surrégime.

J'ai fait fausse route et je retire tout ce que j'ai dit. Calmez-vous, je vous en conjure ! Pensez à des choses neutres et tièdes : lisez le programme de Bayrou ; regardez un documentaire sur les écureuils ; respirez par le ventre ; buvez un verre de lait ; rempotez vos pétunias ! Pardon je dis n'importe quoi, je ne sais pas si on rempote des pétunias, j'ai proposé ça au hasard dans mon désarroi. Faites ce que vous voulez, mais calmez-vous, nom de Dieu !

Et doucement sur la bouteille !

Pour Mozart et le *Requiem* en revanche, c'est bon, vous pouvez continuer. Pas de contre-indications. Il n'en va pas de même pour moi. Chaque fois que j'ai eu la mauvaise idée d'écrire en écoutant ce genre de musique grandiose, je me suis pris pour un génie et j'ai déchanté en me relisant ensuite dans le silence. C'est comme quand on prend l'avion : c'est l'avion qui vole, pas vous.

Bon, il ne s'agit pas de moi. L'urgence, c'est vous et votre banquier. Renseignez-vous un peu sur la pièce si vous ne voulez pas passer pour une cruche. Mais ne la ramenez pas trop si vous ne voulez pas passer pour une emmerdeuse. Trouvez le juste milieu : je suis cultivée mais je ne l'étale pas.

Si après le spectacle (ce qui est probable, non : certain), il propose de monter chez lui pour le fameux *dernier petit verre*, marquez un temps d'hésitation, je vous en supplie ! Deux secondes suffiront. Mais l'acceptation immédiate produirait, chez moi en tout cas, un effet désastreux. Je dois avouer que les saut' au paf m'intimident terriblement.

Ève au téléphone. Je dois vous laisser. Je reviens dès que je peux, dans la matinée.

Pierre-Marie, coach

~

De : Pierre-Marie
À : Adeline

Le 26 mars 2013

Me revoilà, Adeline ! Au calme enfin. Chauffé. Tranquille. Rassasié d'une belle assiette fumante de spaghettis nature. Hydraté d'une bière Heineken 33 cl. Disponible.

Par quoi commencer ? J'ai l'impression que nos poussins abandonnés se démultiplient et divaguent dans la nature. Tiens par exemple : qu'était ce *cabinet* que vous évoquiez dans votre courrier du 11 mars ? Je me le suis toujours demandé.

Bon, je voudrais d'abord revenir sur la remontée de bretelles que vous m'avez administrée ce même jour. Certes, je l'ai bien méritée, puisque je me suis conduit comme un mufle, mais permettez que je me défende. Non, en effet, vous n'êtes pas un personnage de roman. Oui, vous êtes VIVANTE (en majuscules). Oui, vous existez de toute votre densité, de toute votre épaisseur (pardon, ce mot n'évoque pas votre morphologie, j'emploierais le même pour une maigre). À ce propos, et profitant de cette parenthèse ouverte, je méprise les points de suspension, mais j'abuse des parenthèses, chacun son vice, mais reconnaissez avec moi que les parenthèses nous offrent quelque chose en plus tandis que les points de suspension nous en privent, profitant donc de cette parenthèse ouverte, je voudrais vous poser une question incroyablement indiscrète. Si j'ose le faire, c'est parce que je devine qu'avec vous les interdits peuvent sauter, que je peux me le permettre, que vous ne vous offusquerez pas.

Alors j'y vais : Adeline, dites-moi, combien pesez-vous ? Je sais, c'est stupide. Quel intérêt cela peut-il bien avoir ? Mais depuis que vous m'avez écrit : *je suis grande et grosse*, je me demande… à quel point. Mesurez-vous 1,78 m ou 1,92 m comme moi ? Ce n'est pas la même chose. Pesez-vous 81 kg ou 156 kg ? Voilà, c'est demandé. Vous pouvez ne pas répondre. Je referme ma parenthèse démesurée, de toute votre chair, mais moi je ne vous ai jamais vue et je n'ai jamais entendu le son de votre voix. Vous êtes des petits caractères noirs sur mon écran et ce que mon imagination en fait. Non, s'il vous plaît, ne remontez pas sur votre cheval de colère (tiens c'est joli ça, je le replacerai à l'occasion dans mon prochain roman, s'il y a un prochain roman). Et je ne suis guère plus que cela pour vous, même si vous pouvez voir ma tête sur des photos. Car vous savez bien que la présence réelle d'une personne n'a souvent rien à voir avec les photos de cette personne, Dieu soit loué.

Et maintenant, pour en venir au plus intéressant : je vous ai sans doute en effet *décortiquée* et manipulée comme un personnage, mais savez-vous que je m'inflige à moi-même sans cesse le même traitement ? Et c'est sans doute ce qui m'a permis de traverser la vie sans trop de dommages. En même temps que je vis mes plus grandes peines, mes plus grands malheurs, il y a en moi cette consolation ultime : je pourrai les écrire. Je pourrai les transfigurer et en faire la matière de mon art. Et trouver une jouissance en le faisant bien. Ma première raison de vivre est dans l'écriture, Adeline. Dois-je en demander pardon ?

Un seul malheur de ma vie a pour l'instant résisté à cette alchimie, et vous savez lequel.

Parfois, la nuit, dans mon demi-sommeil, je sens un mouvement à côté de moi, un poids, une chaleur, quelque chose qui pèse et qui réchauffe et qui bouge. Ça tourne doucement. Je me dis que mon cauchemar a pris fin. Je tends la main pour toucher Véra, son bras, sa cuisse, son ventre, mais ce n'est que mon chat hautain qui daigne me rendre visite à ce moment-là parce que ça lui sied.

Je vous embrasse avec affection, chère Adeline, et je vous souhaite une belle soirée *romaine*.

Pierre-Marie

PS : Je suis heureux que vous ayez r-aimé ma *Mélodie du crépuscule*.

PS 2 : Le plus gros de nos poussins perdus, je lui jette un coup d'œil parfois. Il est là, dans son enveloppe grand format, sur l'étagère basse de ma bibliothèque. Son immobilité est fascinante.

De : Adeline
À : Pierre-Marie

Le 26 mars 2013

Cher Pierre-Marie,

Mozart et le schnaps m'ont tenue éveillée très tard hier soir. Je ne sais pas auquel des deux je dois ma mine de déterrée, mais je peux vous dire que, depuis ce matin, mon reflet dans le miroir est à faire peur. Alors, désolée, mais je ne vais pas vous envoyer ma photo aujourd'hui, Pierre-Marie, ce serait suicidaire. Si je dois aller au fiasco avec ma soirée « romaine », comme vous dites, je survivrai. En revanche, si je devais en même temps perdre votre amitié, ce serait trop dur. Permettez-moi donc de botter en touche pour l'instant et de ne pas répondre à votre question (crue, directe, mais légitime) sur mon poids. J'y répondrai, c'est promis, un autre jour. Quand je me sentirai d'attaque.

Il est 17 heures : il me reste donc deux heures pour accomplir un miracle esthétique. Je devrais déjà être en train de m'attaquer au problème (série d'abdos, masque au concombre, décoction de radis noir), mais je préfère vous écrire en buvant du café et en fumant des cigarettes. C'est mal ! Je devrais privilégier la vie réelle, et je lui préfère les « petits caractères noirs » de notre correspondance. Aïe ! Que j'ai mauvaise conscience !

Bref, vous l'aurez compris : aucun feu ardent ne me dévore aujourd'hui, je suis éteinte, une pauvre chose, molle et mal peignée. C'était à prévoir.

Après vérification, le titre de la pièce de ce soir est : *L'amour est un plat qui se mange chaud*, d'un certain Nicolas Dumesnil. Je préfère ne pas me renseigner davantage sur ce qui promet d'être un navet. Au moins, mon banquier n'est pas snob ni pédant, et je ne risque pas la migraine. Quant à votre recommandation au sujet de la brève hésitation que toute jeune femme bien élevée se doit de marquer si on lui propose « un dernier verre », je pense qu'elle ne sera pas utile : je vais rester à l'eau. Sobre comme un chameau. Inaccessible et mystérieuse. Qu'en dites-vous ?

Nom d'un chien, Pierre-Marie, d'où sort votre expression « saut' au paf » ? Du XIXe siècle ? Seriez-vous du genre à employer le mot « chandail » pour dire pull, ou « cache-nez » pour dire écharpe ? Rassurez-moi !

En attendant, revenons à nos poussins abandonnés.

J'ai reculé devant l'obstacle concernant mon poids, mais je veux bien tenter de vous expliquer ce que je faisais dans mon « cabinet » avant d'y accrocher l'écriteau « fermé pour cause d'enterrement ». Je suis souvent sur mes gardes lorsque les gens me demandent quelle est ma profession, et vous allez comprendre pourquoi. Ce qui m'encourage à vous le confier, c'est votre magnifique histoire de neige et de bouillotte, lorsque votre père vous a conduit chez la paysanne qui conjurait le feu. Vous avez grandi à la campagne, et votre succès ne vous a pas rendu parisien pour autant. Ensuite vous m'avez dit avoir consulté des radiesthésistes pour tenter de retrouver Véra : tout cela indique que vous êtes sensible aux choses secrètes, à l'inexplicable, aux vieux savoirs du corps.

Alors voilà, Pierre-Marie. Sur la plaque fixée au mur de mon cabinet, j'ai fait graver ceci : *Adeline Parmelan, consultante*.

C'est flou, c'est passe-partout, ça ne mange pas de pain.

Mais ici, par le bouche-à-oreille, les gens savaient ce que cachait ce mot-valise.

Ils venaient me consulter pour que je les aide à y voir clair dans le brouillard de leur vie, à prendre une décision, à mettre des mots sur du silence, à retrouver un peu de confiance en eux. J'utilisais pour cela plusieurs techniques : un peu de psychologie, un peu d'astrologie, un peu de graphologie, un peu de magie. Je tirais les cartes, par exemple. Et puis, j'observais les visages, les attitudes, et je voyais des choses. Je touchais aussi des épaules, des bras, des ventres, et là, je sentais des choses. Je leur demandais de me parler de leurs ancêtres, je dessinais des arbres généalogiques, et parfois, lorsqu'ils venaient en famille, je leur faisais faire des jeux de rôles.

Même si j'ai obtenu mon master en psycho-clinique, je m'appuyais essentiellement sur mon instinct et mon désir d'aider la personne que j'avais devant moi. Je rédigeais parfois des lettres d'amour pour des amoureux transis ou des courriers administratifs, des lettres de réclamation. Je m'occupais aussi des enfants, et c'est ce qui me manque le plus. Je leur lisais des histoires, je les regardais jouer, je leur chantais des chansons, je dansais avec eux, et j'aidais à réparer des liens endommagés. Bref, j'étais consultante en tout et n'importe quoi. Ce qui comptait, c'est que les gens sortaient de chez moi avec le sourire.

Bien sûr, cela supposait une grande disponibilité, et que j'aie le sourire, moi aussi !

Mais depuis la mort brutale de ma mère, je n'en suis plus capable. Je suis paumée dans mon propre brouillard. J'ai perdu ce que votre guérisseuse des montagnes appelait « le feu ». J'ai perdu le fluide, j'ai perdu mes sensations, et je ne sais plus lire les cartes, ni les visages. D'où mon chômage technique.

« Ça » reviendra ou non. « Ça » s'est peut-être enfui à jamais. En tout cas, pour le moment, je n'ai plus la force de m'occuper des gens, à part pour porter leurs commissions, changer une ampoule ou bavarder au soleil.

Je vous en ai dit beaucoup, Pierre-Marie. Trop, peut-être ?

Seuls mes amis très proches connaissent mon activité occulte, et ils ont la consigne de rester discrets. Romain (ouh, il faut que je me dépêche, il arrive dans une heure !) ignore ce que je viens de vous dire, par exemple. J'ai supposé qu'un banquier (même drôle et charmant) ne comprendrait pas, et je lui ai seulement dit que j'étais en pleine reconversion professionnelle. Ce qui n'est peut-être pas un mensonge !

Je fais décidément une piètre Madame Soleil : à cette heure fatidique, Pierre-Marie, je ne sais vraiment pas ce que me réserve l'avenir, et pour commencer, cette fichue soirée. Tout ce que je peux vous dire, c'est que votre Adeline n'est pas vaillante. La lingerie noire est posée sur le fauteuil en face de moi. Culotte brésilienne et soutien-gorge froufroutant. Ça y est, j'ai un haut-le-cœur. C'est mon « épreuve du feu » : courage !

Avant de finir, je veux vous dire combien j'aimerais vous aider à tourner la « page Véra ». Si je vous ai bousculé, dans certains de mes courriers, c'est qu'au fond, je comprends trop bien votre peine inconsolable. Lorsque vous parlez de ces nuits où vous avez l'impression de sentir sa présence, ça me serre le cœur. Si ce chagrin n'est pas soluble dans l'écriture, dans quoi pourriez-vous bien le diluer ? (Évitez le schnaps, conseil d'amie !) Avant de filer sous la douche, je vous propose une liste : le sport, les voyages, la religion, la pratique du yoga, monter sur les planches, le shopping à outrance – et en désespoir de cause : rencontrer d'autres femmes ? Ou des hommes – ça vous changerait !

En attendant, ne me laissez pas tomber, cher coach ! J'aurai sans doute besoin de vous dès demain matin. Et si je ne vous raconte pas tout, je vous dirai au moins ce que vaut la pièce de ce Nicolas Dumesnil. « L'amour est un plat qui se mange chaud », prenez-en de la graine !

Votre froufroutante Adeline

PS : À quoi allez-vous employer votre soirée ?

De : Josy Vallardier
À : Pierre-Marie

Le 27 mars 2013

Pierre-Marie,

C'est Josy. Depuis hier, Max est de nouveau hospitalisé. Les douleurs étaient trop fortes, il ne dormait plus, et je l'ai reconduit au CHU. Ils l'ont gardé pour des vérifications, j'espère qu'ils vont trouver ce qui cloche. En attendant, il me charge aussi de répondre aux courriers urgents. J'en profite.

En fait, ça fait un moment que je voulais te contacter pour te parler de quelque chose, mais avec l'opération de Max, j'ai mis tout ça entre parenthèses.

Tu te souviens de mon amie Lisbeth, je pense ? Tu ne l'as pas revue depuis notre fameux séjour à Bandol, mais je me rappelle que vous aviez beaucoup sympathisé. En tout cas, elle, elle se souvient très bien de toi, et depuis Bandol, elle a lu tous tes livres. Avec son association (je pense qu'elle t'avait parlé de son implication dans le social), elle a le projet de monter une pièce de théâtre, et figure-toi qu'elle veut adapter *Le Retour de la bête*. C'est ton plus court roman, et comme il se déroule en huis clos, elle trouve que ce serait formidable. Elle a commencé à travailler sur le texte (en tant qu'ancienne prof de français, ça la passionne), et du coup ça fait des semaines qu'elle me bassine pour que je te demande si tu serais d'accord. Ce serait un truc d'amateurs, bien sûr, mais elle veut faire les choses bien. Serais-tu d'accord pour que je lui donne ton adresse mail, et que vous en parliez en direct ? Et puis, je me dis que si le projet se monte, ce sera une belle occasion de nous rendre visite ?

Pour l'instant, je ne te le propose pas.

Nous passons par des moments désagréables, ces derniers mois. Tu as vu juste, Max est d'une humeur de chien, lui qui faisait ses trente kilomètres à vélo tous les jours et son sacro-saint golf du dimanche avec Richard et Loulou. Mais bon, d'après les toubibs, il pourra reprendre au début de l'été. J'espère, parce que c'est pas demain la veille que Max va se contenter de lire des livres sur le fauteuil à bascule de la véranda, je peux te le garantir ! Je lui ai apporté *L'Équipe* ce matin, ça, ça passe encore. Pour le reste, il ronge son frein.

Ça me fait drôle d'apprendre qu'Ève divorce. Déjà que l'annonce de son mariage m'avait fichu un coup de vieux ! Nos enfants ne sont plus des enfants, et pourtant, je n'arrive pas à m'y faire. Je me souviens encore d'elle, toute petite, avec ses nattes et ses socquettes !

Du côté de notre grande, toujours rien : elle voyage, elle bosse, mais pas l'ombre d'un futur gendre à l'horizon.

Dis-moi pour Lisbeth.

Je t'embrasse bien fort.
Josy

~

De : Pierre-Marie
À : Adeline

Le 27 mars 2013

Chère froufroutante !

Moi, monter sur les planches ? Pitié ! On voit bien que vous me connaissez mal. Un comédien doit être à 90 % dans son corps et à 10 % dans sa tête, c'est connu, or chez moi c'est précisément l'inverse. Je ne suis même pas capable de jouer mon propre rôle. Au point que chaque remise de prix me met à la torture. J'aimerais tant mesurer quinze centimètres de moins, en ces occasions, et être plus à l'aise. Mais je n'y arrive pas. Et plus on me complimente, plus je voudrais disparaître. Pour le Goncourt, Véra m'a glissé à l'oreille, avec son bel accent qui diluait toute vulgarité : *On aurait dit que tu avais un balai dans le c...*

Alors, cette soirée ? Je ne parle pas de la pièce. Un titre pareil promet en effet le pire. J'ai dû me farcir voici un mois ce même genre de punition théâtrale dans une salle des fêtes voisine. La pièce s'appelait : *Pour une surprise...* Et en effet, il y avait de quoi être surpris, je vous le jure. J'éprouvais en la regardant le même sentiment que lorsque je dois manger végétarien : pourquoi m'inflige-t-on ça ? Qu'est-ce que j'ai fait de mal ? Pourquoi suis-je puni ?

Non, je voudrais seulement savoir comment s'est poursuivie la soirée (clin d'œil !). Je n'exige pas de détails croquignolets, je ne me permettrais pas (quoique) et je vous fais confiance pour me faire comprendre à demi-mot ce qui s'est passé. D'ailleurs, est-ce que la bonne littérature n'est pas justement là, dans le contournement ? Si, bien sûr qu'elle est là ! Mais pardon, vous allez encore me gronder, il ne s'agit pas de littérature mais de la vraie vie d'Adeline Parmelan, VIVANTE.

En réalité, la seule chose qui m'importe, c'est que vous ne soyez pas triste ce matin. Vous m'avez demandé à quoi j'allais employer ma soirée, hier. Eh bien, j'ai lu sur mon canapé un roman policier islandais. Je l'ai fini au milieu de la nuit. Mais toutes les cinquante pages environ, mes pensées revenaient vers vous. Comment ça se passe avec le banquier ? En quel état vais-je retrouver mon Adeline demain matin ?

C'est étrange, j'ai ressenti pour vous, que je n'ai jamais vue, cette même inquiétude qui m'empêchait autrefois de dormir quand un de mes enfants était en difficulté. J'ai écrit *autrefois*, mais à vrai dire rien n'a changé maintenant qu'ils sont adultes. Je n'aimais pas le mari d'Ève (il est procédurier, intelligent, et il va lui mener la vie dure pour la garde des enfants), je ne l'aimais pas, donc, et je suis content qu'ils se séparent, mais voir ma fille en larmes et si triste l'autre jour m'a déchiré le cœur. Dans mes bras, elle n'avait plus 30 ans, mais 8.

En tout cas, rassurez-moi. Et racontez-moi tout avant que, par frustration, je vous invente quatre scénarios, du pire au meilleur, et que vous m'accusiez à nouveau de vous *personnagiser*.

Ça alors ! *Adeline Parmelan, consultante*. Les bras m'en sont tombés. Et d'autant plus quand j'ai lu la suite. Pourquoi ? Parce que dans mon courrier précédent, après ma question concernant votre cabinet, j'avais d'abord écrit : *Que faisiez-vous dans ce cabinet ? Chiromancienne ?* Je n'étais pas loin !

Allez, je vous le dis tout net : les mots que vous employez à propos de vous-même : *choses secrètes... mots sur le silence... magie... voir des choses... sentir des choses... instinct...* ces mots me parlent et m'interpellent. Non parce que j'aurais moi aussi une affinité avec le monde caché. Je n'en ai pas. Mon métier est certes d'imaginer des histoires, des fictions, mais dans ma vraie vie de Pierre-Marie Sotto VIVANT, je suis plutôt matérialiste. Je ne possède aucun fluide. J'ai de grandes et grosses mains, mais je peux bien les imposer pendant dix heures sur un bobo, le bobo reste. Je donnerais tous mes prix littéraires pour détenir ce pouvoir-là, soulager la souffrance des gens, les apaiser, mais je ne l'ai pas. Je soigne, un peu, peut-être, avec mes mots, avec ma voix. *Parle-moi.*

Je ne suis pas doué de ce côté-là, du côté ésotérique, mais je me suis tourné vers là tout de même, par désespoir. Quand toutes les pistes policières se sont épuisées, quand j'ai moi-même épuisé toutes mes pistes personnelles, je me suis retrouvé tellement démuni. Je suis allé voir des radiesthésistes, avec le succès que vous savez. L'eau ? On a dragué les étangs voisins. L'Espagne ? Vous me voyez prendre le train pour Madrid, la photo de Véra dans ma main, et demander aux gens : vous connaissez cette personne ? J'aurais fini maigre et barbu, comme un Don Quichotte halluciné, quelque part dans la Mancha, j'aurais erré à l'infini, je serais devenu fou : *vous connaissez cette personne ?*

Et vous voilà, Adeline.

Je ne comprenais pas, au début, l'intérêt que je vous portais. Il n'y avait pas de raison. Ou si peu. Et puis il y a eu ces… signes. Je ne veux pas vous en dire plus aujourd'hui. Je crains de briser quelque chose en le faisant, j'ai peur de tirer sur un fil qui me resterait entre les doigts.

Ceci tout de même : je pense que vous n'avez pas perdu votre don. Je pense qu'il y a, dans ce brouillard où vous croyez être paumée, une petite loupiote qui a un lien avec moi.

Mais c'est encore trop tôt.

C'est le printemps ici, ce matin. Une mésange bute avec acharnement contre la vitre de ma fenêtre. J'en ai mal pour elle.

Je vous embrasse.

Pierre-Marie Sotto, coach inquiet

PS : Ah oui, la dédicace !

Ché, come sole in viso che più trema,
così lo rimembrar dal dolce riso
la mente mia da me medesmo scema.

C'est dans *La Divine Comédie* de Dante et ça veut dire :

Car, comme soleil en un regard qui tremble,
ainsi le souvenir de son rire si doux
sépare mon esprit de moi-même.

De : Pierre-Marie
À : Josy

Le 27 mars 2013

Chère Josy,

Oh la tuile ! Avec Max, on a toujours envie de prendre les choses légèrement, toujours envie de le charrier. Il y invite, avoue-le, avec son optimisme et sa bonne humeur légendaires. Du coup, j'ai peut-être sous-estimé sa véritable souffrance. Dis-le-lui s'il te plaît, et demande-lui pardon de ma part. Et tiens-moi au courant de son évolution. On peut le joindre au téléphone à l'hôpital ? Il a son portable avec lui ?

Bien sûr que je me rappelle Lisbeth, Bandol et le fou rire avec elle sur la terrasse. J'en avais les maxillaires tétanisés. On avait un petit coup dans le nez, non ? Elle a vraiment lu tous mes livres ? Ça me touche et je me vois mal lui refuser l'adaptation. Ceci dit, *Le Retour de la bête* par une compagnie amateur, hum hum (raclement de gorge). Disons que je veux bien autoriser, mais je ne veux pas qu'on m'oblige à voir le résultat. Sur la quinzaine d'adaptations au théâtre de mes bouquins, j'en ai aimé… deux, allez trois. Et c'étaient des professionnels.

Bon. Qu'importe. Donne-lui mon adresse mail et je verrai avec elle, en souvenir de la terrasse de Bandol et du petit rosé de Provence.

Je t'embrasse, Josy.
Pierre-Marie

~

De : Adeline
À : Pierre-Marie

Le 27 mars 2013

Cher ami écrivain coach,

Quand j'étais adolescente, je tenais mon journal intime, comme beaucoup de filles. C'était un épais carnet avec un dessin de Snoopy sur la couverture et un verrou pas très solide sur la tranche. Peu avant de l'acheter, j'avais lu celui d'Anne Frank, et, suivant son modèle, j'avais décidé de m'adresser à une amie imaginaire. Le « chère Kitty » d'Anne Frank s'était transformé en « chère Jenny » (j'avais dû choper ça dans une série télé), et je lui confiais mes douleurs, mes doutes, mais surtout mes amours impossibles avec tel ou tel garçon du collège. « Chère Jenny, il m'arrive un truc dingue : je crois qu'aujourd'hui, il m'a regardée quand je suis passée devant lui dans la file d'attente à la cantine. Je te jure ! Attends que je te raconte, c'était archi-génial ! » S'ensuivait le récit d'un non-événement, sur douze pages, ponctué d'exclamations stupides. Vous voyez le genre. Alors, partant de là, comment voulez-vous que je maîtrise l'art du contournement ? Comment voulez-vous que je vous raconte ma soirée avec Romain « à demi-mot » ? Pas facile !

Avant de me lancer, sachez quand même que je suis de très bonne humeur. J'ai chanté toute la matinée en faisant un ménage d'enfer dans ma grande et humide maison (*Summertime*, *Oh Happy Days !*), vous comprendrez pourquoi. En tout cas, votre sollicitude me touche ! Je vous imagine, enroulé dans un plaid sur votre canapé, avec votre roman islandais (oui, je vous ai mis un plaid, parce que je redoute que vous n'attrapiez froid – moi aussi, j'ai des attentions pour vous – et d'ailleurs, qu'en est-il de votre chaudière ???), en train de penser à moi toutes les cinquante pages, et j'ai un sourire jusqu'aux oreilles.

À ce propos, il faut que je vous avoue tout de suite quelque chose : tout au long de ma soirée, j'ai également pensé à vous. C'est incroyable, mais c'est vrai. Je vivais les choses, et parallèlement, je me réjouissais de pouvoir vous les raconter le lendemain. J'étais avec Romain, et dans le même temps, je me demandais comment j'allais vous « trousser » (hum, le mot est venu tout seul) ça. Jamais de ma vie je n'avais ressenti cette sorte de dédoublement : si je pousse le bouchon un peu loin, j'en arrive à me demander si je n'ai pas accepté de sortir avec mon banquier uniquement dans le but de vous divertir ! Du coup, je me demande si c'est possible de vivre avec un écrivain sans être automatiquement menacé de « personnagification », pour continuer avec votre néologisme. Est-ce que Véra ressentait de telles choses ? L'angoisse de n'exister pour vous qu'au travers de la littérature ? (Je mets de côté vos autres femmes, et surtout « On y va, Minou ? » qui me paraît trop tarte pour se poser des questions pareilles – la bienheureuse.) En tout cas, je vous jure qu'après l'expérience d'hier, je mesure un peu mieux l'étendue de vos problèmes, Pierre-Marie. Vous êtes affligé d'une sacrée tare !

Alors bien sûr, c'est une tare qui comporte aussi un avantage de taille. Si ma soirée avait viré à la catastrophe, l'idée de vous faire rire avec mes mésaventures aurait aussitôt allégé ma honte ou mon chagrin.

Je commence à comprendre ce que vous vouliez dire lorsque vous parliez de « consolation ultime ».

Allez, j'arrête d'enfiler des perles, et je me lance !

Non, attendez. D'abord je dois vous dire pourquoi j'ai passé cinq heures de ma journée à récurer les sols, à ranger mes cartons éventrés, à aspirer mes tapis, à javelliser mes toilettes, et à dépoussiérer mes étagères : Romain vient dîner chez moi ce soir (« archi-génial ! » dirait le carnet Snoopy). Et, outre le fait que ma maison était objectivement en bordel, il m'a fait part d'un handicap : il est asthmatique. Alors comme je n'ai pas l'intention de le voir s'étouffer sous mes yeux, j'ai préféré jouer la fée du logis. Voilà pourquoi !

Bien entendu, je vais aussi lui préparer un dîner digne de ce nom. Et là, je joue mon va-tout ! Parce qu'il est plutôt gourmet, je l'ai compris hier soir après le spectacle (au fait, c'était un chef-d'œuvre ! Non, je plaisante) lorsqu'il a stoppé sa voiture devant l'un des meilleurs restaurants de la région. Et moi, pauvre pomme, qui m'étais vantée d'être une cuisinière douée le jour où nous avions déjeuné à la brasserie près de son agence ! Me voilà mise au défi. J'ai déjà prévu mon menu, mais il va falloir que je m'y colle sans tarder.

Et vous, Pierre-Marie, qu'aimez-vous manger ? Vous avez évoqué votre dégoût des plats végétariens et, l'autre jour, de modestes spaghettis accompagnés d'une bière : est-ce votre quotidien d'homme célibataire, ou vous arrive-t-il de mettre un tablier pour orchestrer une symphonie orgiaque ?

Ouh, moi, dès que je parle de cuisine, je m'envole !

Vous ai-je dit que Romain est encore plus grand que vous ? 1,95 m. Et, en tant qu'ancien rugbyman, il a ce qu'on pourrait appeler « du coffre ». Pas question de le nourrir d'une salade végétarienne non plus !

Vu l'heure, il va falloir que je file en cuisine, et je m'aperçois qu'à force de contourner et de divaguer, je ne vous ai rien raconté ! Zut, je n'ai vraiment plus le temps pour de jolies phrases, je vais devoir vous dire ça en mode télégraphique : pièce plutôt affligeante – stop – bonne rigolade – stop – effleurements de mains pendant le spectacle – stop – échanges de regards appuyés durant le dîner – stop – bonne complicité – stop – effleurements de genoux dans la voiture – stop – retour devant chez moi – stop – pas de précipitation, mais un baiser léger au moment de se dire au revoir – stop – un deuxième baiser, plus profond – stop – décision sage de ne pas aller plus loin – stop – cœur battant – stop – dîner de ce soir pour conclure, qui sait ? – stop !!!

Pierre-Marie, je suis obligée de cesser ce rapport, mais je vous promets de vous écrire demain. Je vous raconterai mes gambas flambées et mes macarons pistache-chocolat. Et plus, si affinités.

Dites-moi : allez-vous encore passer la soirée dans votre canapé avec un roman nordique ou avez-vous prévu quelque de chose de plus convivial ? Je suis désespérément égoïste, depuis quelques jours. Donnez-moi des nouvelles de votre fille triste, de votre chaudière, de vos mésanges !

Je vous embrasse au milieu de ma batterie de casseroles.

Votre amie, Adeline

PS : Pouvez-vous me confirmer que votre date de

naissance (pêchée sur Internet, je me méfie) est bien le 5 mai 1952 ? Taureau ?

PPS : Merci pour la traduction de votre dédicace. C'est très beau. Dois-je en conclure que vous parlez parfaitement italien ? Et norvégien, aussi, sans doute ? En tout cas, même si vous avez un balai mal placé, vous aimez les langues, c'est déjà ça ! (Pardon, c'est mon four qui chauffe – je suis sur thermostat 8 !)

De : Josy
À : Pierre-Marie

Le 28 mars 2013

Pierre-Marie,

Merci pour ta réponse rapide ! Lisbeth va être ravie, je m'empresse de lui communiquer ton adresse.

Je file à l'hôpital pour voir Max. Je lui apporterai son téléphone portable, mais tu le connais : il n'en fera qu'à sa tête. Tu peux essayer de l'appeler quand même. En tout cas, je lui transmettrai ce que tu m'as dit.

Lisbeth est une femme intelligente, elle comprendra que tu restes méfiant par rapport à son projet. Je suis contente que tu te souviennes de votre fou rire sur la terrasse !

Porte-toi bien.
Josy

De : Pierre-Marie
À : Adeline

Le 28 mars 2013

Chère tombeuse de banquier,

Toute la journée qui vient dans un lycée professionnel de Valence. Vieille promesse à la charmante documentaliste. Je vous écris dès mon retour, ce soir.

Oui, je suis bien né le 5 mai 1952 à Dieulefit dans la Drôme. Que comptez-vous faire de ça ?

Pierre-Marie, écrivain en panne

De : Adeline
À : Pierre-Marie

Le 28 mars 2013

Cher écrivain en panne,

Passez une bonne journée en compagnie de cette charmante documentaliste ! A-t-elle des fesses à votre goût ? En tout cas, je me réjouis d'apprendre que vos yeux pétillent encore, à défaut de votre cœur… et de votre stylo. (Tiens, au fait, vous écrivez à la main ou à l'ordinateur ?)

Merci pour la confirmation de votre date de naissance. « Dieulefit », quel endroit magnifique pour naître lorsqu'on est un créateur ! Ce que je vais faire de ces informations vous sera communiqué ultérieurement, ainsi que le récit de mon dîner d'hier. Aujourd'hui, tout comme vous, je me suis levée tôt pour me rendre quelque part. Je fais des mystères pour vous tenir en haleine…

Je vous embrasse avant d'enfiler une paire de bottes : la Sarthe est noyée sous des trombes d'eau, j'hésite entre la voiture et le canoë.

Adeline

~

De : Lisbeth P. Destivel
À : Pierre-Marie Sotto

Le 28 mars 2013

Cher Pierre-Marie Sotto,

Je vous remercie infiniment d'avoir accepté que Josy me donne votre adresse mail. J'imagine sans peine combien vous devez être sollicité, et je ne me serais pas permis de vous déranger si nous n'avions pas eu l'occasion de partager quelques bons moments ensemble. Josy m'a dit que vous n'avez pas oublié la terrasse de Bandol ? Ni ce fou rire interminable qui nous avait pratiquement mis à terre, vous et moi ? J'en suis très heureuse !

Lors de cette mémorable soirée, je vous avais tutoyé, je crois. Je n'ose plus le faire à présent que j'ai lu votre œuvre. C'est idiot, mais à l'époque, je n'avais pas mesuré l'honneur qui m'était fait de vous rencontrer. C'était avant votre Goncourt ! Depuis, j'ai suivi avec ferveur toute votre actualité. Parmi vos romans, celui qui me bouleverse le plus est sans conteste *Une femme à sa fenêtre*, à la fois pour des raisons personnelles (comme votre héroïne, j'ai atteint la maturité, je suis veuve, je n'ai pas d'enfant), mais aussi pour des raisons esthétiques, car la grâce de votre écriture atteint des sommets dans ce texte. Cependant, comme vous l'a dit Josy, c'est à propos du *Retour de la bête* que je vous écris aujourd'hui.

Depuis que je suis en préretraite, je m'implique activement dans une association de quartier du Mans, notamment auprès d'un public de femmes en difficulté. Elles sont touchées par la précarité, l'alcoolisme, les violences conjugales, autant de thèmes qui traversent votre roman. C'est pourquoi j'ai pensé leur proposer un projet théâtral (je suis moi-même comédienne amateur depuis des années) à partir de votre roman.

J'ai commencé à travailler dessus il y a quelques mois, et j'ai bientôt fini. N'ayez crainte, je conserve la structure. Les seules infidélités consistent à effectuer des coupes (j'ai dû, notamment, renoncer à la scène de la descente de police, trop compliquée à transcrire sur scène) et à donner davantage de « nerf » aux dialogues.

Je suis longue, pardonnez-moi, mais je pourrais vous parler de ce travail pendant des heures tant il me passionne ! J'en viens à mes questions :

1- M'accordez-vous le droit de faire représenter l'adaptation (ce serait à la MJC Pierre-Bourdieu, au Mans) et quel serait le montant des droits à acquitter pour cela ?

2- Aurez-vous l'envie, la curiosité, la gentillesse de lire mon adaptation ?

3- La plus importante : j'aimerais vous inviter à rencontrer ces femmes de l'association. Ce serait extraordinaire pour elles, de pouvoir parler avec un écrivain avant d'entrer dans la peau de ses personnages. Pour vous avoir côtoyé, je sais que vous êtes quelqu'un de bien, que vous êtes accessible, ouvert. Et gourmand, si mon souvenir est bon ? Si vous veniez, vous seriez reçu comme un prince ! (J'ai dans ma cave quelques grands crus que mon défunt mari n'a pas eu le temps de boire, je vous en mets un de côté.)

Voilà, je jette ma bouteille à la mer ! Si vous dites « oui », je serai une femme comblée, et mes « nanas » (comme je les appelle) le seront autant que moi. Mais bien sûr, je comprendrais aussi que votre emploi du temps ne vous permette pas de venir jusqu'ici.

En souvenir de notre fou rire, je vous embrasse.
Lisbeth P. Destivel

~

De : Pierre-Marie Sotto
À : Lisbeth P. Destivel

Le 28 mars 2013

Bonsoir Lisbeth,

Merci de votre courrier si plein d'enthousiasme. Merci aussi de m'avoir suivi si fidèlement depuis Bandol.

Je vous donne bien volontiers l'autorisation d'adapter *Le Retour de la bête* au théâtre. Concernant les droits, s'il s'agit seulement de quelques représentations et que cela reste dans un cadre associatif, je vous conseille de ne pas alerter mon éditeur. Jouez la pièce et faites-vous plaisir. En revanche, s'il y a des entrées payantes et que votre spectacle est amené à tourner, alors vous devrez le faire.

N'en soyez pas vexée, mais je préfère ne pas lire votre adaptation, car si j'y fourre mon nez, me connaissant, je deviendrai vite insupportable !

Quant à votre invitation, elle est charmante, mais hélas Le Mans est bien loin de la Drôme et je suis actuellement plongé dans l'écriture d'un roman qui absorbe mon temps et mon énergie. Je ne sais pas quand j'en viendrai à bout, mais d'ici là je m'efforce de ne pas me disperser. J'espère que vous ne m'en voudrez pas trop.

Bien cordialement à vous et à vos *nanas*. Saluez-les de ma part.

Pierre-Marie Sotto

De : Pierre-Marie
À : Adeline

Le 28 mars 2013

Chère Adeline,

Oh comme je n'aime pas ça ! Non seulement je viens de vous faire une infidélité en envoyant un mail à une autre Sarthoise que vous (impardonnable !), mais surtout je l'ai conclu par un mensonge plus gros que moi (je n'ai pas dit que vous !). Je vous explique :

Sous prétexte que les hasards de la vie nous ont fait partager un fou rire et plusieurs bouteilles de rosé de Provence il y a plus de douze ans (oui c'était l'été 2000 et je venais de divorcer *vennskapelig*, ça veut dire *à l'amiable* en norvégien), voilà que surgit du passé cette femme qui me demande : 1) de l'autoriser à massacrer *Le Retour de la bête* en le jouant au théâtre avec sa troupe d'amateurs ; 2) de lire son adaptation sans me pendre ; 3) de venir au Mans pour y prendre une autre cuite avec elle et ses amies artistes.

J'ai répondu dans l'ordre oui, non et non, et je me suis défilé en prétendant que j'étais actuellement *plongé dans l'écriture d'un roman qui absorbe mon temps et mon énergie*. Le pire, c'est qu'en tapant ces mots sur le clavier, je me disais : si seulement ça pouvait être vrai !

Bien sûr, l'idée de me rendre au Mans prend un sens particulier pour moi, maintenant que je vous connais. Mais je reste persuadé que nous voir serait une erreur profonde. La magie entre nous, ce sont ces mots sur l'écran, non ? Il ne faut pas la dérégler. On m'a souvent demandé (mais oui, je suis bête, c'est vous qui venez de me le demander !) si j'écrivais à la main ou sur l'ordinateur. Je suis ordinateur à 100 %. Les gens s'en étonnent : la sensualité du papier, le crissement de la plume, l'odeur, etc. Foutaises ! La sensualité, elle est dans les mots, dans l'histoire, et dans tout ce qu'on y investit. Elle n'est pas dans le stylo, ni dans la plume Sergent-Major ! Pardon, je me perds dans mon raisonnement, je suis un peu fatigué, les rencontres me fatiguent plus qu'avant, je voulais juste dire ceci : voir votre nom s'afficher en gras dans ma boîte de réception et entendre le petit signal sonore qui va avec me donne autant d'émotion que m'en donnerait une lettre de vous dans ma boîte postale. Enfin je suppose. Il faudrait que j'en reçoive une pour le savoir.

Bon, je vois bien que je tourne autour du pot.

Je vais profiter de ma fatigue et du léger coton dont elle m'enveloppe pour vous poser une question que je n'oserais pas vous poser si j'étais frais et dispos. Non, il ne s'agit pas de votre poids. J'ai besoin de vous entendre sur un autre sujet, parce que vous êtes une femme, parce que je devine en vous des savoirs particuliers et parce que j'ai confiance en vous.

Voilà :

Adeline, pensez-vous qu'un homme puisse vivre huit ans auprès d'une femme aimée, partager avec elle ses jours et ses nuits, prendre avec elle ses petits déjeuners, ses repas de midi et ceux du soir, faire les courses avec elle, aller au cinéma avec elle, commenter l'actualité avec elle, faire l'amour avec elle, prendre des bains de soleil avec elle, faire la sieste avec elle l'après-midi, parler de littérature avec elle, observer le chat et se moquer de lui, faire la cuisine, faire des quiches lorraines, presser des jus de fruits, changer les papiers peints d'une chambre, plier des draps, écouter de la musique dans la voiture la nuit en roulant, emmener avec elle un des enfants à l'hôpital, le veiller avec elle, le ramener quelques jours plus tard et fêter avec elle le retour de cet enfant à la maison, essayer des lunettes de soleil avec elle, l'emmener chez le coiffeur et attendre en marchant dans la rue que ce soit fini, l'appeler au téléphone pour lui dire qu'il est bien arrivé quand il s'en va quelque part, attendre son coup de téléphone à elle pour qu'elle lui dise qu'elle est bien arrivée quand elle s'en va quelque part,

tout ça pendant des années,

et un jour s'apercevoir que sans doute elle le trompe ?

Oui, sans doute qu'elle le trompe, puisqu'elle disparaît sans rien dire à personne. Et elle ne dit rien à personne parce que c'est impossible à dire. Et qu'il vaut mieux juste partir plutôt qu'essayer de dire cette chose indicible.

Pensez-vous, Adeline, qu'une femme peut avoir cette force de cacher si longtemps puis de partir comme ça ?

Parle-moi... Parce que si tu te tais, c'est moi qui vais parler, poussée par le silence, et ce que je te dirai renversera les murs et la maison tout entière.

Je crois que le silence de ma maison est en train de me jouer des tours, ce soir, Adeline. J'appuie sur *Envoyer* sans me relire.

Je vous embrasse.
Pierre-Marie

~

De : Adeline
À : Pierre-Marie

Le 29 mars 2013

Oh, Pierre-Marie, comme je suis triste pour vous ! Vous voyez, je ne prends même pas le temps d'un « cher ami », je saute sur mon clavier pour répondre à votre message d'hier soir. Il est bouleversant, ce message. Il est déchirant. Il me troue. Il me fracasse. Il me donne envie de vous serrer dans mes grands et gros bras pour recueillir cette douleur qui sourd de vos mots comme l'eau d'une grotte, une eau millénaire et longtemps retenue dans les strates de la roche, mais qui finit par perler, plic, ploc. Pleurez, Pierre-Marie ! Explosez ! Criez ! Tapez ! Videz ce cœur qui enfle depuis trop longtemps d'un chagrin immense !

Je crois que vous avez touché quelque chose de vibrant, une vérité. Il faut beaucoup de temps et beaucoup de courage pour oser regarder la vérité en face, et j'ai l'impression que vous êtes en train de le faire. J'ai éprouvé physiquement cette vibration intense, profonde, qui vient ponctuer les moments importants d'une vie. Vous y êtes, Pierre-Marie. Alors bien sûr, vous avez dû vous réveiller ce matin un peu sonné, un peu barbouillé, comme si vous aviez la gueule de bois, et vous gronder (je commence à vous connaître !) sévèrement de m'avoir envoyé ce message sans même vous relire. Vous avez dû regretter de vous être laissé aller à cette confidence, mais je vous en prie, ne regrettez rien.

Vous m'avez parlé de ces nuits fiévreuses où vous vous levez, soudain persuadé que la clé du mystère se trouve au fond d'une lessiveuse ou entre les pages d'un livre : ne cherchez plus. Je crois que vous avez trouvé. Car souvent, les messages cryptés ne se cachent pas dans les vieilles lessiveuses, mais à l'intérieur de notre cœur. Il nous manque seulement le code pour les déchiffrer, et vous avez peut-être trouvé ce code.

Qu'ajouter de plus, Pierre-Marie ? Je n'ai jamais prétendu deviner la vérité des êtres à distance. Les « trucs » des voyants par téléphone me font bondir. Pour comprendre quelqu'un, il faut l'avoir en face de soi, entrer en contact, en relation. Je ne peux donc pas affirmer quoi que ce soit au sujet de Véra. C'est vous qui savez.

Si vous avez soudain réalisé qu'elle vous trompait, c'est sans doute la très simple et très désagréable vérité.

Oui, les femmes sont capables de cela. Tout autant que les hommes, ça vous étonne ? Pas besoin d'être voyante pour le savoir, il suffit de regarder autour de soi. Faites l'exercice, Pierre-Marie : combien de couples, autour de vous, ont-ils souffert des infidélités de l'un ou de l'autre ? Pour ma part, rien que dans la Sarthe, j'en connais un paquet ! J'ai même une amie dont les trois enfants ne sont pas du même père : elle est toujours mariée avec le même homme, mais leurs deux plus jeunes enfants sont ceux de son amant. Le mari fait comme s'il ne savait pas. Il a reconnu les trois, et il les élève, les nourrit, les abrite, avec la même constance. Quant à l'amant, ma foi, je crois qu'il est soulagé de ne pas avoir la responsabilité de ses deux rejetons, et tout le monde semble s'arranger de la situation.

Je vous retourne la question que vous m'aviez posée au sujet de mon père et de sa « maîtresse » espagnole : auriez-vous préféré que Véra continue de vivre près de vous avec son mensonge ? Auriez-vous fermé les yeux sur ses escapades, sur ses week-ends de « formation », sur ses soirées « entre copines » ? En tout cas, elle n'a sans doute pas pu supporter cette duplicité.

Je ne sais pas où est le courage, dans ces cas-là. Tout dire ? Se taire ? Rester ? Disparaître ? Je ne suis pas à même de juger.

Tout ce qui m'importe, aujourd'hui, c'est vous : Pierre-Marie Sotto, écrivain en panne, homme malheureux, mari trompé et délaissé.

Pierre-Marie Sotto, homme VIVANT, drôle, surprenant, amateur de fesses féminines et de Cervantès, ancien garçon timide et pourtant chef d'une tribu remuante et polyglotte, voyageur, contemplatif, solitaire et pourfendeur des points de suspension, frais sexagénaire et propriétaire d'une piscine vide, frileux lorsqu'il s'agit de chanter, de danser, de brûler les planches, mais audacieux lorsqu'il joue les coachs sexuels avec son Adeline ! C'est ce Pierre-Marie bourré de contradictions, de faiblesses, de peurs, de talent, d'humour et d'humanité qui m'intéresse ! C'est lui que j'ai envie d'entendre. Mais pour qu'il puisse reprendre la parole, j'ai l'impression qu'il va devoir se purger de l'autre Pierre-Marie : celui qui reste pétrifié par la disparition de Véra. Vous m'avez avoué ressentir de la rage contre elle, parfois. Je vous ai plusieurs fois demandé ce que vous en faisiez, de cette rage, et vous n'avez jamais vraiment répondu. J'y reviens encore, car il me paraît évident que c'est cette rage rentrée qui vous bloque. Si vous ne parvenez pas à la crier, à la chanter, à la danser, écrivez-la, Pierre-Marie. Écrivez des mots terribles. Des gros mots. Des mots violents. Et ensuite : chiffonnez la page, brûlez-la, découpez-la en morceaux. Puis recommencez. C'est ce que je vous dirais, en tout cas, si vous poussiez la porte de mon étrange cabinet.

Je vous envoie ce mot tout de suite, sans me relire non plus. Si mes parties de jambes en l'air vous amusent, je vous les raconterai plus tard. L'important est ailleurs, aujourd'hui.

Je vous embrasse très amicalement.

Adeline Parmelan, consultante !

PS : Dites à l'autre Sarthoise que la place est occupée. Si elle vous embête, donnez-moi son adresse, j'irai lui régler son compte. Non mais !

PPS : Je travaille sur votre thème astral. Passionnant !

De : Lisbeth P. Destivel
À : Pierre-Marie Sotto

Le 30 mars 2013

Bonjour Pierre-Marie,

Tout d'abord, merci de m'avoir répondu si vite.

Pour ne rien vous cacher, je suis à la fois contente et déçue de vos réponses, même si au fond, je ne m'attendais guère à autre chose.

Contente que vous m'accordiez l'autorisation pour la pièce : soyez sans crainte, il s'agira de trois ou quatre représentations sans billetterie.

Et déçue, c'est certain !

Malgré tout, je comprends que vous n'ayez pas le temps de venir jusqu'à nous : j'imagine que, lorsque vous êtes en pleine écriture, plus rien d'autre ne compte à vos yeux, et c'est bien naturel. J'ai hâte de lire ce roman en gestation ! Oserais-je même vous demander de quoi il parle, et quand il va sortir ? (Ce serait mon lot de consolation.) Sera-t-il plutôt dans la veine du *Château des brumes* (votre période onirique) ou plutôt dans celle d'*Une femme à sa fenêtre* ? Oh, je vous en prie, donnez-moi seulement quelques indices, je vous promets de garder ma langue !

Pour finir, je suis déçue aussi que vous n'ayez pas envie de lire mon travail. Je sais que ce genre de demande doit vous être adressée très souvent, mais j'avais pensé que peut-être… eu égard à notre rencontre et à nos amis communs… ?

À propos de points communs, savez-vous que nous en partageons d'autres ? Pour commencer, je suis née un 5 mai, comme vous ! Sans croire à l'astrologie et à toutes ces fadaises, je pense quand même que vous et moi sommes d'un tempérament hédoniste et gourmand, typique des taureaux, est-ce que je me trompe ? Autre point commun : sauf erreur de ma part, vous vivez seul, comme moi.

Et encore un : la Drôme ! Car figurez-vous que mon vieux père habite non loin de chez vous, dans la ferme familiale où il est né, voici quatre-vingt-neuf ans. (J'ai moi-même fréquenté le collège de Crest avant de partir pour le lycée à Montélimar.) Et comme le hasard fait bien les choses, il se trouve que je dois lui rendre visite très bientôt ! Les dates ne sont pas encore fixées, mais ne pensez-vous pas que l'occasion est belle de partager un petit moment autour d'un déjeuner ou d'un café ? Je compte descendre en voiture, il me sera très facile de vous rejoindre. Promis, je ne vous embêterai pas avec *Le Retour de la bête*. Disons simplement que je serais charmée de vous revoir.

Dites-moi ce que vous en pensez !

Bien amicalement.

Votre enthousiaste Lisbeth

De : Pierre-Marie
À : Adeline

Le 30 mars 2013

Chère consultante,

Oui, je m'en suis voulu de vous avoir envoyé ce message hier soir ; oui, je me suis réveillé avec une gueule de bois carabinée ; oui, j'ai sans doute découvert la vérité ; oui, vos conseils sont les bons : il va me falloir expulser tout ça, le brailler, le vomir.

Vous êtes décidément très avisée. Si parfois vous rouvrez un jour votre cabinet, il faudra changer la plaque et écrire : *Adeline Parmelan, expert consultante* ou bien *Adeline Parmelan, consultante exceptionnelle*, enfin quelque chose qui indique à vos clients qu'ils n'ont pas affaire à n'importe qui. Beaucoup à votre place auraient tenté de me convaincre que je faisais fausse route, m'auraient demandé si j'avais des indices, sinon des preuves, de l'infidélité de Véra. Merci de vous en passer et de croire plutôt à cette fulgurante et terrible évidence : Véra avait quelqu'un d'autre que moi.

Je vous ai déjà dit comment, depuis toujours, j'ai réussi à jouer à l'alchimiste, à tirer de mon malheur la substance de mon écriture, à transmuter mes souffrances pour en faire des objets littéraires et à les apaiser ainsi. Or la disparition de Véra n'est jamais entrée dans ce processus. Cet événement a résisté. Il est resté souffrance nue, peut-être comme celle qu'éprouvent les animaux. J'aurais dû comprendre plus tôt pourquoi je ne parvenais pas à changer ce plomb-là en or. Maintenant je sais. Elle est nommée, ma souffrance. Et pour soigner le mal, il faut le nommer, non ?

Je me suis donc retrouvé ce matin, comme vous le dites, avec une épouvantable gueule de bois, mais sans avoir bu un seul verre de schnaps, moi. Même pas cette consolation. C'est étrange, mais depuis hier je me dis que Véra est sans doute *quelque part au Venezuela*. Dans mon esprit, il ne s'agit pas forcément du vrai Venezuela, capitale Caracas, mais d'un pays lointain à mi-chemin entre réalité et fiction, un pays où l'on peut disparaître sans laisser de traces. Je l'imagine là-bas, avec ce quelqu'un. Non, je ne l'imagine pas.

Adeline, je n'ai pas l'intention de faire de mon histoire foirée le centre de notre correspondance. Je ne veux pas nous imposer ça. Ce serait ennuyeux et pataugeux (ça existe, ce mot ?). Quand j'écrivais des romans (j'emploie l'imparfait), je m'engueulais souvent moi-même : stop ! Assez de psychologie ! Assez de drames ! De la légèreté, mon garçon ! Laisse donc entrer la vie là-dedans ! Et je me rappelais mes enfants qui, chaque fois que je rentrais après quelques jours d'absence, me réclamaient en tapant en cadence de leurs petits poings sur la table : une anec-dote ! une anec-dote ! Ils ne voulaient pas entendre le docte compte rendu de mon séjour littéraire à Moscou ou à Bordeaux, ils voulaient que je leur raconte comment mon interprète russe avait une virgule de dentifrice sur la joue pendant la conférence, comment je le lui avais dit à l'oreille et comment il m'avait répondu d'une voix d'outre-tombe *spaciba* avant de sortir son mouchoir, de le mouiller de la langue et de s'essuyer. Voilà ce qu'ils voulaient entendre. Et les lecteurs sont comme ça aussi. Les explications les lassent vite. Ils veulent du croustillant (oh oui s'il vous plaît, racontez-moi vos galipettes, Adeline, et faites-moi rire avec ça, ce serait le plus beau cadeau pour moi en ce moment).

Qu'est-ce que j'ai à vous offrir, de mon côté ?

Tiens, partons à la chasse aux poussins.

Ma fille triste ? Oui, elle est triste, mais pas de quitter ce bac plus douze qui nous aura quand même pollué les repas de famille pendant presque dix ans avec ses cours d'économie politique imbitables. Elle est triste de constater ce gâchis, ce temps perdu à ne pas être heureuse, cet échec. Mais elle s'en remettra, mon Ève.

Ma chaudière ? Réparée.

Ma documentaliste ? Callipyge.

Ma mésange ? K.-O.

Et le plus drôle pour finir : mon autre Sarthoise.

J'étais certain de l'avoir renvoyée à dix mètres (jargon de rugby) par ma réponse pour le moins réfrigérante, mais non ! Elle insiste. Figurez-vous qu'elle a *hâte de lire ce roman en gestation*. Je sens que je risque de m'empêtrer dans mon mensonge. Elle parle de mon *Château des brumes* et précise qu'il s'agit de ma *période onirique* ! J'y suis toujours, dans ma période onirique, sauf que la nature de mon rêve a changé : mon rêve, c'est qu'elle me lâche ! Pire : elle est née le même jour que moi, le 5 mai, ça ne s'invente pas ! Elle y voit sans doute un signe fort de notre affinité. Elle évoque notre commun *tempérament hédoniste et gourmand, typique des taureaux*. Je crois que j'ai envie de mourir, là. Si Véra était là, je lui ferais lire le mail de cette dame, et elle commenterait en roulant les r : *mais elle a le feu au der-rière, ma par-role, un bon seau d'eau fr-roide, oui !* Mais je garde le pire du pire en bouquet final : comme je lui ai indiqué que je ne comptais pas monter au Mans, c'est elle qui va descendre ! Son vieux père est mon voisin paraît-il ! Vous m'entendez : elle va sauter dans sa petite voiture et descendre me voir !

Je vais devoir lui répondre. Je m'y colle.

Au fait, merci infiniment, chère consultante. Je vous dois combien ?

Pierre-Marie

De : Pierre-Marie Sotto
À : Lisbeth P. Destivel

Le 30 mars 2013

Chère Lisbeth P. Destivel,

Je vous prie de bien vouloir me pardonner mon dernier courrier. En le relisant, je me rends compte à quel point j'ai été impersonnel alors que nous avons partagé un moment finalement assez inoubliable sur cette terrasse de Bandol, il y a presque treize ans.

À ma décharge, je dois dire que je suis en effet bien occupé à mon nouveau roman (non, je ne peux pas encore en dévoiler la teneur, ce n'est pas encore assez bien « accroché », je parle comme ces femmes enceintes qui attendent quelques mois avant d'annoncer la bonne nouvelle).

Oui, envoyez-moi donc votre adaptation. Je serai ravi d'y jeter un œil et je vous dirai mon sentiment.

Merci d'aimer *Une femme à sa fenêtre.* Je suis très attaché moi-même à ce roman.

Quant au *Retour de la bête,* il a déjà fait l'objet de plusieurs adaptations au théâtre, professionnelles pour la plupart (Chéreau l'avait envisagé avant de renoncer), et je suis certain que la vôtre prendra une superbe place dans ce florilège.

Ainsi vous descendez dans notre Drôme ? En effet,

ce serait trop bête de ne pas sauter sur l'occasion. Dites-moi donc vos dates dès que vous les connaîtrez et nous organiserons une petite rencontre dans le coin.

Bien amicalement.
Pierre-Marie Sotto

~

De : Pierre-Marie
À : Adeline

Le 1er avril 2013

Chère Adeline,

Un courrier bref (pour une fois) afin de vous administrer ma quatrième raison de trouver que la vie peut être belle.

Hier, dimanche de Pâques, repas de famille chez mon fils aîné Nicolas, celui d'avec *Métamorphose* (ma première femme). Il a 36 ans aujourd'hui et quatre enfants. C'est la première fois que nous célébrons une fête ailleurs que chez moi (je n'arrive déjà plus à dire *chez nous*). Depuis toujours, les grands rassemblements avaient lieu ici, dans ma maison. Peut-être vais-je assister dorénavant au déplacement progressif du centre de gravité de notre tribu ? Mais ce n'est pas le sujet.

Tout le monde était là, c'est-à-dire vingt personnes puisque deux des enfants de Véra étaient venus. Seule manquait Gloria (il faudra que je vous parle d'elle). Et, bien entendu, *Bac plus douze,* que personne ne regrette et qu'on n'est pas près de revoir je pense. Du coup l'atmosphère était détendue. Après le café, je m'allonge sur le canapé du salon et de là, assoupi, je perçois la douce rumeur des miens qui sont restés à table, leurs rires, leurs voix familières. Celles des femmes et des filles, vives et joyeuses, même celle d'Ève ; celles de leurs maris et compagnons (je ne dis pas *gendres*, quel vilain mot !) qui rivalisent de drôlerie. Ils se charrient gentiment, se coupent la parole, montent la voix, la descendent. Tout cela me berce et m'enveloppe. Je ris de les entendre rire. Du jardin nous parviennent les cris des enfants qui jouent. Je m'endors. Je suis en sécurité. Je suis bien.

Vous allez sans doute penser que je suis égoïste et que cela ne vous concerne pas puisqu'il semblerait que vous n'ayez pas de famille à vos côtés, des frères et sœurs, des neveux et nièces, et que les fêtes de famille vous soient étrangères, ou alors vous me l'avez bien caché. Si c'est effectivement le cas, pardonnez ma maladresse, et disons que c'était pour vous rassurer sur mon sort. J'ai des moments de solitude, bien sûr, mais je suis entouré.

Allez, je tâcherai de trouver une raison n° 4 plus pertinente.

À bientôt. J'ai hâte de vous lire.

Pierre-Marie

PS : Avez-vous avancé votre enquête sur votre mère, votre maison humide, et ce qui s'y est passé il y a cinquante-quatre ans ? Et votre étude astrologique ?

De : Lisbeth P. Destivel
À : Pierre-Marie Sotto

Le 1er avril 2013

Cher Pierre-Marie,

Oh, comme je suis contente de lire votre courrier ce matin ! Il m'arrive d'être un peu maladroite avec les gens, car je suis d'un tempérament assez fonceur, et ça n'est pas toujours bien compris. Mais je vois que vous n'êtes pas de ces écrivains fuyants qui se retranchent dans leur tour d'ivoire une fois le succès venu. J'en étais sûre : vous êtes un type bien !

Voilà ce que je vous propose : dès que j'aurai achevé l'adaptation (ce qui ne saurait tarder), je préviens mon père que je descends le voir. Je resterai auprès de lui plusieurs jours, si bien que nous trouverons forcément un moment. Je vous apporterai le manuscrit en main propre, et nous pourrons alors prendre le temps, ensemble, d'en faire la lecture à voix haute, qu'en dites-vous ? Comme ça, nous ferons d'une pierre deux coups ! Vous me ferez vos remarques sur le vif, je pourrai prendre des notes, et ce sera plus plaisant pour chacun, n'est-ce pas ?

J'espère que ma proposition vous tente. Je me réjouis de cette future séance de travail avec un auteur de votre trempe, et je mesure, croyez-moi, l'honneur que vous me faites ! Je m'empresse d'envoyer un petit mot à Josy pour la remercier d'avoir joué les entremetteuses !

En attendant de vous revoir, je vous souhaite une bonne continuation de « grossesse » littéraire. Je dois dire que votre comparaison m'a particulièrement touchée, moi qui n'ai pas eu d'enfant, mais qui ai malheureusement eu à affronter trois fausses couches. Pardon de vous confier ça de façon un peu abrupte, mais étant donné la sensibilité dont vous faites preuve dans *Une femme à sa fenêtre*, je sais que vous comprendrez.

À très vite.
Votre dévouée Lisbeth

De : Pierre-Marie
À : Adeline

Le 2 avril 2013

Chère Adeline,

Pourriez-vous, je vous prie, me faire livrer d'urgence une corde solide (je fais mon poids) ou bien un four à gaz, ou bien de l'arsenic en quantité suffisante, ou bien même un coussin assez gros sous lequel je parviendrais peut-être à m'étouffer moi-même ?

Vous l'avez deviné : l'autre Sarthoise a frappé ! Elle descend. Elle est en route. Elle est là ! Enfin presque. Dès qu'elle aura fini de massacr… pardon d'adapter *Le Retour de la bête* elle fonce me rejoindre pour, tenez-vous bien, que nous lisions ensemble et *à voix haute* son travail ! Rien ne l'arrêtera désormais, je le sens bien. Je crois que je suis tombé sur une hystérique de très haut niveau. J'aurais dû m'en douter dès Bandol. Je suis fichu.

Tout peut arriver maintenant, si je donne suite. J'imagine qu'elle peut repartir dans un fou rire dément au milieu de notre lecture, ou se mettre à pleurer, ou bien m'agresser sexuellement.

Je sais déjà qu'elle a fait trois fausses couches. Adeline, croyez-vous possible qu'un embryon, dans une sorte de prescience de ce qui l'attend avec sa mère, soit capable de décider par lui-même de ne pas aller à terme ?

Je ne vois aucune façon d'échapper à ce fléau. Je vais donc, dans un premier temps, adopter la stratégie du silence. Je ne lui réponds pas. Je ferme mes volets, je tire les rideaux, j'éteins toutes les lumières, je me terre dans un coin et je ne bouge plus. On verra bien. Si vous avez mieux à me proposer, chère consultante, je suis preneur.

Je vous embrasse.

Pierre-Marie (qui vient de mieux comprendre l'état mental du gnou livré à son prédateur)

~

De : Adeline
À : Pierre-Marie

Le 3 avril 2013

Très cher Pierre-Marie,

Merci, merci, pour vos messages ! Ma basse-cour est bondée de poussins perdus qui réclament leur pitance, et je ne sais plus par quel bout commencer.

Je viens de passer le week-end de Pâques le plus bizarre de ma vie, j'ose à peine vous raconter mes aventures de peur que vous ne me croyiez pas.

Sachez d'abord que pour moi qui n'ai pratiquement plus de famille (à part mon frère, comme vous allez le voir), ces moments de communion et de festivités obligatoires sont assez redoutables, c'est pourquoi je m'arrange toujours pour être très occupée.

J'ai attaqué mon programme par un baby-sitting, vendredi soir, chez cette amie dont les trois enfants ne sont pas du même père. Le mari officiel étant impliqué dans la paroisse, il avait le privilège d'être invité au Vatican pour célébrer Pâques en présence du nouveau pape François. Une bénédiction, car pendant qu'il allait prier place Saint-Pierre, sa femme avait prévu de monter au septième ciel elle aussi, mais entre les bras de son amant. D'où mon intérim auprès de Marie-Neige (7 ans), Luc (5 ans) et Adélaïde (3 ans), je ne suis pas bégueule.

À peine leur mère envolée, bien que m'étant remise au régime, je décide de leur faire une pile de crêpes gigantesque pour couper court aux petits chagrins (faire des crêpes est l'un de mes remèdes contre la dépression). Ils en mettent partout, se chamaillent un peu, se régalent beaucoup et, à 21 h 30, le silence tombe sur la maisonnée. Je m'apprête à allumer l'ordinateur pour vous écrire, quand la petite Adélaïde redescend. En larmes, et barbouillée de vomi. À partir de là, le cauchemar a commencé. Je vous épargne les détails, sachez seulement que j'ai épongé, lavé, shampooiné, écopé et veillé les trois petits malades jusqu'au milieu de la nuit.

Évidemment, leur mère avait éteint son portable, et aucun médecin joignable en ce week-end de Pâques. Le lendemain, inquiète, je décide de les conduire aux urgences en priant pour qu'aucun ne dégobille dans ma voiture. Après une bonne heure d'attente, l'interne les examine, suppose une intoxication alimentaire et les garde en observation.

16 heures, 17 heures… le portable de mon amie reste

éteint. Je m'apprête à faire une croix sur le concert de Pâques que ma chorale donne le soir même en l'église de Mouron, quand elle déboule enfin, l'amant sur ses talons. Et vous savez quoi ? Elle m'engueule parce que je n'ai pas vérifié la date de péremption des œufs dans son frigo.

Non seulement j'étais épuisée, en retard pour ma répétition, mais coupable d'avoir voulu faire plaisir à ses mômes : j'en étais malade.

Bref, j'ai quand même pu attraper la répétition en cours de route, mais franchement, j'aurais mieux fait de rester en coulisses pendant le concert. Fausses notes, démarrages à contretemps, j'étais tellement contrariée que je n'ai réussi à me détendre qu'au milieu du *Veni Creator Spiritus*.

Autant vous dire qu'après tout ça, quand notre chef a proposé de conclure la soirée chez lui, j'ai sauté sur l'occasion. J'ai mis mon régime entre parenthèses, et jusqu'à 2 heures du matin, je me suis vengée sur les charcuteries et les amuse-gueules, copieusement arrosés au chinon. Mal m'en a pris, car bien entendu, sur le chemin du retour, à bord de ma vieille voiture VGT, j'ai rencontré une brigade de gendarmerie.

Oh, Pierre-Marie, je vous souhaite de ne jamais vivre une nuit de garde à vue. J'en ai pleuré pendant des heures, en claquant des dents d'humiliation.

À ma sortie, on m'a retiré mon permis. Le commissariat étant situé à quinze kilomètres de chez moi, j'ai cru que je pouvais quand même ramener ma voiture, mais pas du tout. Il fallait que j'appelle quelqu'un. Un dimanche de Pâques, à midi ! Je suis restée une demi-heure dehors, dans un froid de canard, à tourner en rond, complètement sonnée. À qui demander un tel service ? Romain ? Suicidaire ! J'avais un rat crevé au fond de la bouche, si je voulais garder une chance pour une autre partie de jambes en l'air, il fallait l'oublier. Mon amie chez qui je venais de faire la baby-sitter ? Après la scène de l'hôpital, évidemment, c'était non. J'ai épluché mon répertoire téléphonique, et là, j'ai compris quelque chose d'incroyable : si j'avais eu votre numéro de téléphone, Pierre-Marie, c'est vous que j'aurais appelé à la rescousse. Oui, vous. Personne d'autre.

Mais je n'avais pas votre numéro, alors je me suis résolue à appeler… (là, je me permets les points de suspension) mon frangin, Cédric.

Par chance, ce jour-là, il n'était pas assez défoncé pour que les gendarmes l'empêchent de me reconduire chez moi. Tout le long du trajet, il n'a pas cessé de répéter : « Merde alors, ma sœur en cabane, merde alors, la petite fille chérie de sa maman au gnouf ! » Il était mort de rire. Je rêvais qu'il me dépose chez moi, et qu'il me laisse tranquille. Mais comme d'habitude, Cédric n'avait rien de mieux à faire, et il est resté. Pierre-Marie, vous qui venez de me réclamer une corde, un four, un oreiller dans votre dernier message (je garde l'autre Sarthoise sous le coude), je peux vous dire que si j'avais eu un fusil, ce n'est pas contre moi-même que je l'aurais tourné.

Cédric a passé son temps à me rebattre les oreilles de ses histoires sans queue ni tête, à fumer des pétards, vautré dans le canapé, et à se plaindre de tout. Pour finir, il a eu ce qu'il voulait : je lui ai fait un chèque ce matin. 1 000 euros pour qu'il dégage.

Enfin seule, j'ai ouvert mon ordinateur.

Quand j'ai vu que vous m'aviez envoyé plusieurs messages, j'ai retrouvé un début de bonne humeur. Et puis je les ai lus, et là, j'ai retrouvé la totalité de ma bonne humeur.

Je vous ai imaginé somnolant dans votre canapé, au milieu du doux brouhaha des conversations, débarrassé de votre barbant bac plus douze de « gendre », et heureux comme un pacha. Cette vision de vous, repu et paisible, m'a grandement réconfortée : j'accepte votre raison n° 4 !

Je vous ai imaginé enfin, poursuivi par cette harpie sarthoise, et j'avoue que j'ai bien ri. Enfin, Pierre-Marie, qu'est-ce que c'est que cette bonne femme ? À vous lire, on dirait qu'elle vous fait peur. Est-ce bien raisonnable, à votre âge ? Allons, allons, débarrassez-vous d'elle une fois pour toutes, ou bien coltinez-vous sa visite, mais ne jouez pas l'enfant. Faire le mort me paraît être une fausse solution. Je vous rappelle quand même ce que je vous ai proposé : vous me donnez son adresse, et j'y vais. (Auparavant, je me serai procuré ce fameux fusil, comptez sur moi.)

Bon, je vais reprendre mes esprits après ces quelques jours stupides, et promis, je répondrai à vos questions très vite. En attendant, je vous embrasse. Il fait soleil sur mon bout de jardin, je bois un café fort, et le gant de crin a fini par avoir raison des miasmes de la cellule de dégrisement : la vie n'est pas si moche, vous avez raison.

Adeline

PS : Après le nouveau désastre que je viens de vous raconter, me conservez-vous la plaque « Adeline Parmelan, consultante exceptionnelle » ?

De : Pierre-Marie
À : Adeline

Le 4 avril 2013

Chère contrevenante,

J'espérais que vous me feriez rire avec le récit de vos galipettes, mais je n'ai pas été déçu par le changement de programme. Votre week-end calamiteux m'a enchanté. Allez, dites-moi la vérité, est-ce qu'au pire moment (mais lequel était-ce ? La magistrale intoxication aux œufs périmés ? L'engueulade avec votre amie ? La cellule de dégrisement ? Le chèque de 1 000 euros à votre frère ?), est-ce qu'au pire moment, vous n'entendiez pas, venue d'un lobe bien caché de votre cerveau, cette petite voix consolatrice : *oh comme ce sera bon de raconter ça à mon vieil ami Pierre-Marie Sotto* ?

Ainsi c'est moi que vous auriez appelé du fond de votre détresse ? Je vous avoue que j'ai presque fondu en larmes en lisant ces mots. Je deviens de plus en plus émotif avec l'âge. Et sans doute aussi à cause de l'état psychologique dans lequel je me trouve depuis deux ans et demi. Une chanson écoutée au volant de ma voiture, une réplique dans un film même pas bon, une ligne dans un roman et c'est parti. Je comprends mieux mon grand-père que les trois mots *Chemin des Dames* terrassaient instantanément : sa voix déraillait, il quittait ses lunettes pour s'essuyer les yeux. Je finirai comme ça, avec cette différence que je n'ai pas fait Verdun. Ce sera un autre mot qui me déclenchera, moi, un autre nom, et vous savez lequel.

Bien sûr que j'aurais volé à votre secours, Adeline, si vous m'aviez appelé ! Ma petite moquerie de début de mail, c'était pour rire. En réalité, vous savoir malheureuse m'est très désagréable, même si je ne vous ai jamais vue *en vrai*. Oui, vraiment, pour vous j'aurais cette pulsion irrationnelle que je réserve à peu de gens finalement (je mets à part ma famille) : il a besoin de moi, elle a besoin de moi, je fonce et je réfléchirai après ! Au fait, connaissez-vous la définition d'un ami ? C'est quelqu'un que vous pouvez appeler à 3 heures du matin pour lui dire : je crois que j'ai fait une très grosse bêtise, peux-tu venir avec une bâche et une pelle ? Et il vient.

N'ayez crainte, je vous garde toute mon estime, et vous pouvez conserver votre plaque. Il conviendrait peut-être d'y apporter une nouvelle modification, écrite en caractères plus discrets ou entre parenthèses : *Adeline Parmelan, consultante exceptionnelle (mais qui aime bien boire son petit coup)*. Ça vous humaniserait davantage encore, qu'en pensez-vous ?

Vous avez raison concernant mon autre Sarthoise. La panique m'a égaré. Je vais lui répondre, je ne sais pas quoi, mais je vais lui répondre. Ceci dit, si vous voulez vraiment lui rendre visite entre-temps, ne vous gênez pas. Elle habite 7, rue Abel-et-Gordon au Mans.

Je passe du coq à l'âne : les points de suspension. Je les accepte volontiers quand ils marquent une hésitation ou bien un suspense qu'on veut entretenir, par exemple quand vous ménagez l'entrée en scène de votre… frangin ! Ils sont alors comme un roulement de tambour et se justifient. Je les déteste quand ils ne sont suivis de rien, qu'ils sont juste de la paresse ou le camouflage d'une incompétence. Bon, j'arrête là mes leçons. Professeur Sotto, ouh ouh, avez-vous remarqué que plus personne ne vous écoute ?

Pierre-Marie

PS : Non, je n'arrive pas à vous laisser sans évoquer ce qui me turlupine. Votre long courrier m'a ravi, bien sûr, amusé, ému, mais… (trois petits points d'hésitation) j'attendais autre chose. Une autre fois.

De : Pierre-Marie
À : Josy

Le 4 avril 2013

Chère Josy,

J'ai eu Max sur son portable en fin d'après-midi. Je l'ai trouvé un peu pâteux, sans doute à cause des médicaments, et petit moral. On a parlé une bonne demi-heure, au bout de laquelle il m'a quand même raconté une blague. Quand il a commencé en disant : *tu la connais celle du toubib qui...* je me suis dit, allez voilà notre Max qui est de retour. Je n'ai pas compris l'histoire, mais j'ai ri à la fin, et je me suis aperçu que j'avais les larmes aux yeux. Je crois que je deviens de plus en plus émotif avec l'âge. Je comprends mieux mon grand-père que les trois mots *Chemin des Dames* terrassaient instantanément : sa voix déraillait, il quittait ses lunettes pour s'essuyer les yeux. Je finirai comme ça, Josy, avec cette différence que je n'ai pas fait Verdun, moi.

J'ai eu un mail de ton amie Lisbeth. Quel tempérament ! Je lui ai dit que je ne pourrais pas aller au Mans, alors c'est elle qui va descendre ! Je la recevrai de mon mieux, par amitié pour toi, mais je t'avoue que j'appréhende un peu.

En fait, je ne t'écris pas au sujet de Max ni de Lisbeth.

Je t'écris à propos du mail que j'ai adressé à Max le 15 mars et que tu as lu (avec son autorisation, je ne te reproche rien). Je lui demandais d'aller vérifier quelque chose pour moi. Or dans ta réponse tu n'as pas évoqué le sujet. Alors, je te pose la question sans détour : es-tu allée au Cloître pour voir si cette Adeline Parmelan habite bien au 1, impasse Marc-Bloch ?

Y es-tu allée ? Et, si oui, qu'as-tu vu là-bas ? Comment est-elle physiquement ? Vit-elle seule ? Quelle voiture a-t-elle ? Quel est le numéro d'immatriculation de cette voiture ?

Je vous ai indiqué ces signes qui apparaissent dans ses courriers, ce *pourquoi* à la place du *parce que*. Je ne débloque pas, Josy. Je suis triste mais je ne suis pas déprimé. J'ai la tête sur les épaules. Je m'étonne juste de la fascination qu'exerce cette femme sur moi, et je veux en connaître la raison.

Tu dois savoir que cela compte beaucoup pour moi, et que si je ne peux pas avoir de renseignements par vous deux à ce sujet, je me résoudrai à prendre ma voiture pour aller les chercher moi-même. C'est peut-être ce que j'aurais dû faire dès le début. Peux-tu m'épargner ce long voyage ?

Ne me laisse pas sans nouvelles.

Je t'embrasse.
Pierre-Marie
PS : Ne t'en fais pas pour Ève, elle est solide.

De : Josy
À : Pierre-Marie

Le 4 avril 2013

Mon cher Pierre-Marie,

Toi et moi, on se connaît depuis assez longtemps pour que je n'y aille pas par quatre chemins : tu m'emmerdes. Oui, tu m'emmerdes avec tes foutus signes, tu m'emmerdes avec Véra et avec tes histoires qui tournent en rond.

Tu veux que je te dise : si cette femme s'installe dans ta vie, et si tu es fasciné par elle, c'est formidable ! Pourquoi chercher midi à quatorze heures ? Tu as tellement peur de lâcher l'ombre de Véra que tu n'arrives plus à vivre, voilà ce que je pense.

Tu as peur d'apprendre que cette Adeline Parmelan existe pour de bon, et tu as peur de recevoir la visite de Lisbeth ? Pas mes oignons.

Mais comme je suis ton amie malgré tout, et que je suis bonne poire, je vais faire ce que tu me demandes. Je vais y aller, au Cloître. Je vais même prendre des photos, comme ça, tu verras par toi-même ! Et avec un peu de chance, tiens, je vais me présenter à cette Adeline et lui dire pourquoi je suis là, en train d'espionner sa maison et de photographier la plaque d'immatriculation de sa voiture. Elle sera sans doute ravie d'apprendre que tu enquêtes dans son dos !

À bon entendeur.
Josy
PS : Max a été content de t'avoir au téléphone.

~

De : Adeline
À : Pierre-Marie

Le 4 avril 2013

Pierre-Marie,

La fin de votre message me plonge dans une perplexité sans nom. J'ai l'impression de vous avoir déçu, et c'est un sentiment affreux.

Vous attendiez le récit de ma soirée avec Romain, ça d'accord, et il n'est pas trop tard pour que je vous dise tout à ce sujet. Sauf que je n'en ai plus tellement envie à présent.

À quoi bon vous raconter mes histoires d'alcôve alors que vous semblez attendre autre chose ? Qu'attendez-vous vraiment de moi ? L'usage de ces points de suspension après votre « mais » m'a littéralement retourné l'estomac. C'est comme si vous me cachiez vos véritables intentions. Comme si vous n'étiez pas celui que vous prétendez être depuis toutes ces semaines, c'est-à-dire mon ami, tout simplement.

Au fond, c'est ma faute. À mesure de nos échanges, j'ai oublié le point de départ de tout ça, et c'est là que le bât blesse, j'en prends soudain conscience. J'ai eu envie d'oublier pourquoi nous étions entrés en contact. J'ai eu envie de croire que cela n'avait plus d'importance, que l'essentiel se trouvait désormais ailleurs. Je vois que non, et il va bien falloir revenir en arrière.

Je vous soupçonne de me cacher vos intentions véritables, alors que c'est moi qui n'ai pas joué franc jeu avec vous depuis le début.

C'est inévitable, Pierre-Marie : le temps est venu d'ouvrir la volumineuse enveloppe que je vous ai envoyée.

Je suis mortifiée de vous écrire cela, parce que si vous l'ouvrez, vous allez me détester. Je vais vous perdre, et je n'en ai pas envie.

Pourtant, quand vous l'aurez ouverte, cette maudite enveloppe, j'aimerais que vous ne mélangiez pas tout. Même si je vous ai caché des choses importantes, je suis restée absolument sincère chaque fois que je vous ai écrit. Gardez-moi ce crédit, je vous en supplie.

Bon. Les dés sont jetés. Je me sens triste, mais je n'ai à m'en prendre qu'à moi-même.

Notre rencontre virtuelle aura été pour moi une véritable rencontre, je veux dire plus vraie que bien d'autres, charnelles et tangibles.

Ce tournant brutal dans notre correspondance m'invite à faire ce que j'ai trop longtemps repoussé. Je vais remplir ma valise, fermer mon cloître à double tour, appeler un taxi (ma voiture est toujours au commissariat), et prendre un train vers le sud. Puisque le temps passe et que je dois chercher un nouvel endroit pour construire ma nouvelle vie, autant commencer tout de suite. Oh non, ne craignez rien, je ne vais pas faire comme l'autre Sarthoise hystérique qui vous pourchasse : je ne vais pas venir chercher asile dans la Drôme. Ce sera Toulouse, peut-être. Ou Biarritz. La mer, l'horizon.

Si notre histoire avait été écrite par vous, je suis certaine que vous auriez trouvé une meilleure fin. Pardonnez-moi de ne pas avoir votre talent.

Je vous embrasse sans doute pour la dernière fois.

Votre Adeline Parmelan

PS : N'oubliez jamais que vos lecteurs (et lectrices) ont besoin de vous davantage que vous ne le pensez.

PPS : Dans ma valise, je vais mettre mon ordinateur. Où que je me trouve, je guetterai un signe de vous. Je recevrai votre colère, ou pire : je constaterai votre silence.

De : Lisbeth P. Destivel
À : Pierre-Marie Sotto

Le 4 avril 2013

Cher Pierre-Marie,

Bien que sans nouvelles de vous depuis l'autre jour (je comprends, vous êtes en plein travail), je me permets de vous écrire à nouveau pour vous dire que ça y est, j'ai fixé la date de mon arrivée dans la Drôme : je descends ce week-end ! Je ne pensais pas précipiter ainsi mon voyage, mais nos échanges m'ont donné des ailes, et l'adaptation est terminée ! Par ailleurs, mon vieux papa a déclaré un mauvais rhume, et il a besoin de se sentir entouré. Je serai donc chez lui samedi en fin de journée, et pour les dix jours suivants au moins.

Comment voulez-vous que nous procédions ? Voulez-vous que nous prenions rendez-vous dès à présent, ou préférez-vous que je vous téléphone une fois sur place ? Je vous donne mon numéro de portable, sachant que le réseau est assez instable dans ce coin perdu où vit mon père : 060888518. J'attends le vôtre en retour.

Encore une fois, un grand merci d'avoir accepté ma proposition !

À tout bientôt, avec un plaisir immense.
Votre dévouée Lisbeth

De : Pierre-Marie
À : Josy

Le 4 avril 2013

Josy,
Comme tu y vas ! Je ne te demande pas d'aller braquer une banque ni d'assassiner quelqu'un. Ni de faire des photos. Ni même de parler à cette Adeline Parmelan. Je te demande juste de me rendre ce service : va là-bas, jette un coup d'œil et dis-moi.

Mais si tu dois le faire, grouille, parce que l'oiseau va sans doute quitter son nid dans les jours qui viennent, et ensuite plus question de retrouver sa trace.

Pierre-Marie
PS : Pardonne-moi, mais je n'ai pas pu m'empêcher de rire en lisant ton *Tu m'emmerdes*, parce que je te voyais. Je voyais tes deux mains écartées, paumes vers le haut, ton front plissé et les mots bien détachés :

tu m'em-merdes ! Je crois bien que je t'adore, Josy. Allez, fais ça pour moi.

De : Pierre-Marie Sotto
À : Lisbeth P. Destivel

Le 4 avril 2013

Chère Lisbeth,

Quelle bonne nouvelle ! Votre père sera certainement heureux de vous voir. Et moi aussi, vous pensez bien. C'est comme vous dites : nous ferons d'une pierre deux coups.

Je vous appellerai donc en début de semaine prochaine, lundi ou mardi. Je ne veux pas vous bondir dessus dès votre arrivée. Priorité à votre papa, c'est bien normal !

À très bientôt, chère Lisbeth. Et soyez prudente sur la route, samedi.

Pierre-Marie

De : Lisbeth P. Destivel
À : Pierre-Marie Sotto

Le 5 avril 2013

Cher Pierre-Marie,

C'est parfait si vous m'appelez lundi ! Le temps que je me remette de la fatigue du trajet, que je cajole un peu mon vieux papa, et je serai entièrement à vous. J'ai imprimé le texte de l'adaptation en deux exemplaires afin de faciliter notre lecture à deux voix. Et, comme vous le verrez, je vous réserve quelques surprises de mon cru ! Chut, je n'en dis pas davantage.

Je me sens excitée comme une puce à l'idée de cette rencontre ! Quand j'ai annoncé à mes « nanas » que je descendais chez vous, elles m'ont assaillie de questions que j'essaierai de vous transmettre. Je leur ai promis quelques photos dédicacées, j'espère que vous n'y verrez pas d'inconvénient.

Je vous souhaite un excellent week-end et à lundi par téléphone !

Votre Lisbeth

De : Josy
À : Pierre-Marie

Le 5 avril 2013

Pierre-Marie,

D'abord te dire que Max va sortir cet après-midi de l'hôpital et qu'il se sent beaucoup mieux. Il a dû t'expliquer que les antibiotiques ont fini par avoir raison de l'infection qui s'était logée dans sa hanche. C'est la bonne nouvelle que je voulais partager avec toi.

Ensuite, oui, oui, oui, Pierre-Marie, je suis allée au

Cloître. Ce matin même. Et voilà ce que je peux te dire : oui, la maison du 1, impasse Marc-Bloch existe.

Quand je suis arrivée, tout était fermé. Les volets tirés à l'étage, comme ceux du rez-de-chaussée. Une cour et un petit jardin devant, un plus grand derrière, d'après ce que j'ai pu voir en me mettant sur la pointe des pieds devant le portail. Sur la boîte aux lettres, il y avait bien un nom, un peu effacé par la pluie, mais lisible : Viviane Parmelan.

Le jardin n'est pas très entretenu, mais pas en friche non plus. Des rangées de jonquilles sous la plus grande des fenêtres, une paire de sabots sous l'auvent, un tuyau d'arrosage enroulé sur le côté. Il n'y avait pas de voiture dans la cour. Tout était calme, rien de bizarre, rien d'étrange.

J'allais m'en aller, mais un monsieur est sorti de la maison voisine avec son chien. Un gros labrador doré, tu sais, comme celui qu'on avait Max et moi ? Je me suis dit : Josy, à toi de jouer. Je l'ai salué, et je lui ai d'abord parlé de son labrador, histoire de le mettre en confiance. On a bavardé un peu, mais le chien tirait sans cesse sur sa laisse (tu parles, il avait envie de faire sa promenade !) et le type n'arrêtait pas de dire : « Ça suffit, Romain ! Au pied, Romain ! Du calme, Romain ! » C'était marrant, on aurait dit qu'il s'adressait à un gosse.

Bref, entre deux invectives, j'ai pu placer que je cherchais ta nana, là, cette Adeline Parmelan. J'ai désigné la maison fermée, et le voisin m'a confirmé qu'il avait bien vu une femme, une grande brune à qui il avait dit bonjour de temps en temps, en promenant son labrador. Il ne connaissait pas son nom : en fait, lui-même n'était que de passage, en vacances depuis quinze jours.

Je lui ai quand même demandé si cette femme avait une voiture, il a dit oui. Il a ajouté qu'il l'avait vue transporter des piles de cartons dans son coffre.

Après ça, son labrador s'excitait tellement qu'il a dû s'excuser, et il est parti sur le chemin.

Voilà ce que j'ai récolté pour toi, Pierre-Marie.

Je t'avoue que c'était une curieuse expérience. J'avais l'impression d'être dans un film, tu vois ce que je veux dire ? J'avais presque des frissons en remontant dans ma voiture, et j'ai eu envie de quitter Le Cloître au plus vite, comme si j'avais fait quelque chose de mal. C'est idiot, hein ?

En tout cas, mets-toi bien dans le crâne qu'aucun fantôme ne vient hanter cette maison, il y a bien une personne VIVANTE dans les lieux. Je ne sais pas si ça suffira à t'ôter tes doutes, mais s'il te plaît, ne me demande pas d'y retourner.

Je sais que Lisbeth descend voir son père ce week-end et que vous allez vous voir bientôt. Je l'ai chargée de fourrer quelques bonnes bises de notre part dans sa valise. J'espère que vous allez retrouver la bonne humeur qui vous animait à Bandol, voilà bientôt treize ans. Treize ans ! Mon vieux, le temps passe tellement vite que je n'arrive plus à le suivre.

Dis à Ève, si tu la vois bientôt, que nous pensons bien à elle et à ses enfants. Je sais bien qu'elle est forte ! Et puis, avec le père qu'elle a, elle est vaccinée en ce qui concerne les divorces ! Ah ! là, là ! Pierre-Marie, tu es et tu resteras toujours mon emmerdeur préféré !

Allez va, je t'embrasse. Il faut que je fasse un peu de ménage avant... le retour de *ma* bête à moi – tu connais Max et son côté maniaque !

Ne perds pas le nord.

Josy

De : Oliver Vandeweert
À : Pierre-Marie

Le 5 avril 2013

Hello Pierre-Marie !

Je viens de croiser Dom à la cafétéria, et nous avons longuement parlé de toi, c'est l'occasion de t'écrire.

Eh oui, mon cher, ce n'est pas parce que tu joues les courants d'air que plus personne ne pense à toi dans la maison ! À ce sujet, c'est quand même bête que tu aies refusé de venir signer au Salon de Paris il y a quinze jours, tu as loupé un dîner hilarant au Véfour en compagnie de Catherine et Sébastien. Ils étaient tous les deux dans une forme éblouissante, tu aurais adoré. Je te le répète encore une fois, quitte à t'agacer : ce n'est pas parce que ton dernier livre remonte à quatre ans que tu es triquard en signature. Tu le sais, tu as un public fidèle, et qui (ce n'est pas donné à tout le monde) se renouvelle suffisamment pour maintenir les ventes à un très bon niveau. D'ailleurs, Dom va t'envoyer une invitation pour le festival de Saint-Malo où nous aimerions beaucoup t'avoir. Tu te souviens de notre virée en bateau ? Et ce journaliste de *La Semaine des livres* qui vomissait tripes et boyaux pendant qu'on sabrait le champagne en l'honneur de ton prix ? Si tu acceptes de venir, je te promets une nouvelle sortie en mer : jusqu'à Jersey, même !

Alors ? Où en es-tu ? As-tu entamé un texte ? Comme je le disais à Dom tout à l'heure : mon sixième sens d'éditeur (dont tu connais la renommée) m'envoie des signaux. Je te crois scotché à ton clavier, en train de nous mijoter une surprise. Je me trompe ?

Si ça peut te mettre du baume au cœur, sache que l'édition anglaise de luxe (tu sais, le coffret qui réunit ton triptyque) va paraître dans deux mois là-bas. Ça promet d'être magnifique. La promo va t'appeler, ce serait bien que tu fasses un saut à Londres.

Donne-moi quelques nouvelles, je suis impatient de savoir si la merveilleuse machine Sotto s'est remise en marche.

Avec mon amitié chaleureuse.

Oliver

PS : J'en profite pour te transmettre les salutations de ton traducteur japonais, que j'ai croisé porte de Versailles, et qui était déçu de ne pas t'y voir, lui aussi.

De : Pierre-Marie
À : Adeline

Le 7 avril 2013

Adeline,

J'ai envie de vous gronder. On dirait une ado ! Ce n'est quand même pas mon petit *J'attendais autre chose* qui a déclenché ce tsunami ? Prenez le temps de réfléchir ! Attendez au moins de récupérer votre voiture ! Soyez raisonnable, bon sang ! Où irez-vous ? Est-ce que vous savez que des gens se retrouvent à la rue sur des coups de tête comme ça ?

Ce que j'attendais de vous, ne faites pas semblant de l'ignorer. J'ai pensé que vous pourriez ouvrir une brèche dans ce silence qui m'emmure depuis deux ans et demi, que vous pourriez me donner une piste, m'aider. Mais je vous ai peut-être attribué des pouvoirs que vous n'avez pas, et maintenant vous êtes malheureuse de m'avoir déçu. Je comprends cet *affreux sentiment* et je suis désolé d'en être la cause.

En tout cas, nous y voilà. Je ne pensais pas que cela viendrait si vite, je veux dire la fin du temps de l'innocence.

Mais vous avez raison : quoi qu'il arrive désormais, il ne faudra pas renier ces quelques semaines passées à nous écrire. J'y ai trouvé un grand plaisir, et même plus que ça, ne riez pas : quelque chose qui ressemble au sentiment amoureux. Vous savez : votre vie va son train, vous êtes dans une somnolence du corps et du cœur, et puis soudain quelqu'un apparaît et vous apporte la révolution. Vous n'êtes plus qu'impatience : je vais la revoir, elle va m'appeler, elle va m'écrire. Ça occupe tout votre esprit. Et comme l'autre vous aime en retour, vous êtes dans cette fièvre, dans cette fête. J'ai vécu cela cinq fois. J'ai pris feu cinq fois. La première, j'avais 15 ans, et je n'étais pas à la hauteur. Les trois fois suivantes, ce fut avec mes trois premières femmes. Oui, même avec *On y va, Minou ?*, mon cœur a cogné fort, et je n'ai pas envie de me moquer. La cinquième fois, c'est autre chose, et le feu n'est pas éteint.

La fête donc. La fête des cœurs et des corps. Ça dure ce que ça dure. Et puis les couleurs pâlissent, les lignes claires se brouillent. Viennent les malentendus, le doute, le ressentiment (j'ai failli mettre ici des points de suspension, je me suis rattrapé de justesse).

J'ai l'impression de vivre tout cela avec vous, en virtuel et en accéléré, mais avec toutes les nuances du processus, par exemple celle-ci : en vous écrivant, à l'instant, je fais comme si tout allait bien, de la même façon que les couples qui se séparent jouent, le temps d'un répit, sur l'oreiller ou non, la comédie de leur amour fini. Leur été indien. Encore une fois. Une dernière fois. Ils y ajoutent juste leurs larmes.

Adeline, je sais comme vous que dans cette enveloppe se trouve la fin de notre innocence. Je le sais d'autant plus depuis ce matin. Après le petit déjeuner, je suis allé dans mon bureau et je suis resté longtemps à la regarder. Je dois vous dire qu'elle me fait peur, votre enveloppe grand format renforcée. Elle est là, immobile et silencieuse, et elle ressemble à un animal dangereux qui dormirait et qu'il serait très périlleux d'aller déranger (oh le cliché ! la pauvre comparaison ! Sotto, Sotto ! on se ressaisit !). J'ai fini par la prendre dans mes mains, l'enveloppe, et, sans l'ouvrir, je l'ai tâtée.

Il n'y a pas de manuscrit dedans. Ce ne sont pas des

feuillets A4. Ce sont des enveloppes longues, format 22 × 11. Sans doute deux tas placés côte à côte, on sent bien la séparation entre eux malgré la chemise dans laquelle vous les avez réunis.

Des lettres.

Je ne sais pas ce qu'elles contiennent. Je sais seulement que leur lecture signifie la fin de nous deux tels que nous étions jusque-là. Alors avant de les ouvrir, je veux vous rassurer : l'Adeline avec laquelle je corresponds depuis quarante-trois jours, cette Adeline-là, je lui garde tendresse et affection. J'ai cru en son passé, en son présent, en sa chorale, en ses tisanes et en son banquier. Et rien ne pourra annuler ça. Un ami m'a raconté qu'au temps du Minitel il avait entretenu une correspondance torride avec une jeune femme avant de comprendre qu'elle était un homme, mais ça ne l'a pas empêché d'en garder un souvenir très agréable.

J'aimerais pouvoir vous dire : continuez à vous inventer, Adeline, je vous pardonne même de ne pas exister ! Mais non, ça ne marchera pas, le charme sera rompu.

Ceci dit, la littérature n'est que mensonge, enfin invention, ce qui est la même chose, l'invention étant un mensonge avoué par avance, non ?

D'ailleurs, je vous l'ai déjà dit, je m'appréhende parfois moi-même comme un personnage de fiction, cela m'aide à m'assumer, ça me rend plus intéressant et plus supportable que je ne le suis en vrai. Je veille juste à ne pas m'aventurer trop loin dans ce jeu dangereux. Et puis ma balance me rappelle à ma réalité : vous avez déjà vu une fiction de 106 kg ?

Je dois vous laisser, Adeline. Ève et ses deux petits arrivent d'ici une heure et je dois m'occuper du poulet purée et du flan noix de coco.

J'ouvrirai l'enveloppe ce soir, quand je serai seul à nouveau. Est-ce qu'il faudra alors vraiment que nous fassions ce deuil de nous-mêmes ? Est-ce que je devrai vraiment vous haïr ? Ça me rend triste et j'ai du mal à le croire.

Moi aussi, je vous embrasse, peut-être pour la dernière fois.

Votre ami (encore à cet instant je suis votre ami),
Pierre-Marie Sotto

PS : Je me demande bien où vous êtes, à cette heure.

De : Pierre-Marie
À : Oliver

Le 7 avril 2013

Cher Oliver,

Merci de ton courrier. Je suis toujours content quand je vois ton nom apparaître dans ma boîte de réception. Bon, allons à l'essentiel : je n'écris pas. Désolé, ton intuition d'éditeur renommé a failli.

Quoique à la réflexion peut-être pas tout à fait. C'est compliqué. Quand j'étais petit, il y avait cette expression rigolote : *pédaler à côté de son vélo*, tu te rappelles ? C'est ce que je fais : je pédale à côté de mon vélo. Mon vélo littéraire est au garage, sur sa cale, pneus dégonflés, chaîne sautée, et moi je suis à côté et je pédale. Je ne sais pas si c'est dans le vide ou sur un autre bizarre vélo inconnu, mais je pédale.

Pardonne ce langage sibyllin, mais si c'était clair pour moi, je te le dirais clairement. Je ne cherche pas à te cacher quoi que ce soit, seulement je suis dans le brouillard à propos de mon écriture. Une certitude : dès que j'en aurai une, de certitude, c'est à toi que je la livrerai en premier, *of course*. D'ici là, il faut juste patienter un peu et me laisser tranquille. Chez moi, tu le sais, le chemin de la création est effroyablement tortueux, je ne m'y retrouve pas moi-même, alors comment expliquer aux autres, même à toi qui es celui qui me comprend le mieux (un petit compliment à son cher éditeur ne mange pas de pain, allez !).

Pour Saint-Malo, hélas, ça tombe pile la semaine où mes jumelles (qui vivent à Bergen en Norvège) seront en France et je veux profiter d'elles. Transmets à Dom, s'il te plaît, sans oublier de le remercier.

Pour l'Angleterre en revanche, oui. Je sais qu'ils ont fait du beau boulot avec le coffret et je leur dois bien ça. Mais alors tu me réserves d'office ce merveilleux Donald comme interprète. Avec lui, je me sens *intelligent en anglais*, c'est magique.

Salue amicalement tout le monde, là-haut, cher Oliver, et merci encore à toi de me surveiller de loin, ça me touche.

Pierre-Marie Sotto (écrivain-cycliste)

~

De : Pierre-Marie
À : Josy

Le 7 avril 2013

Chère Josy,
Merci !

Sache pour commencer que tu n'es pas allée au Cloître pour rien. Contrairement à ce que tu pourrais penser, le compte rendu de ta visite là-bas et ton interview du voisin au chien en particulier m'éclairent grandement. Ils ne m'apprennent pas ce qui est vrai, mais ce qui est faux, et c'est précieux.

Adeline Parmelan prétend avoir une relation avec un certain Romain, or je sais maintenant grâce à toi qui s'appelle Romain : il est bien plus poilu et possède quatre pattes et une truffe ! Bref, cette personne me semble très douée pour la fabulation, ce qui n'est pas pour me déplaire en général, mais dans ce cas particulier je m'intéresse plutôt à la vérité.

Or elle sait beaucoup de choses et si je l'agresse, elle risque de se buter, de se refermer comme une huître ou même de disparaître à jamais. Alors je la ménage. J'en saurai bientôt plus, et je te tiendrai au courant, tu l'as bien mérité.

Lisbeth est sans doute déjà dans les parages, chez son père. Je dois l'appeler demain et je pense qu'elle sera chez moi dans le quart d'heure qui suit. Tu es amie avec elle de quelle façon au fait ? C'est une drôle de personnalité quand même, non ?

Merci encore pour Le Cloître, tu as été grandiose.

Embrasse Max. (Vous avez Canal ? Il pourrait regarder les matchs de foot à défaut de lire Kierkegaard.)

Pierre-Marie

~

De : Josy
À : Pierre-Marie

Le 8 avril 2013

Pierre-Marie,

Un mot rapide avant de conduire Max chez le kiné, où il entame enfin ses séances de rééducation.

Oui, Lisbeth est une sacrée personnalité ! Avec elle, c'est quitte ou double : soit on tombe sous le charme (tu dois te rappeler combien c'est une belle femme, d'ailleurs), soit on prend ses jambes à son cou. Je fais partie de la première catégorie et j'espère vivement que tu entreras bientôt au club !

On s'est rencontrées il y a presque trente ans, à l'époque où Max et moi avions été mutés en région parisienne. Collègues de bahut, tout simplement. Mais ce qui nous a vraiment rapprochées, c'est le syndicat et les grèves de 86 (Devaquet au piquet ! Devaquet au piquet ! Tu te souviens ?). On a peint des banderoles, on a écrit des chansons, on est allées battre le pavé bras dessus bras dessous.

Lisbeth a toujours milité, d'où son engagement auprès de ses « nanas » aujourd'hui. Je sais que tu n'es pas très politisé (on s'est suffisamment pris le bec là-dessus !), mais je suis certaine que vous aurez mille autres sujets de conversation. Lisbeth s'intéresse à tout.

C'est une femme honnête, franche, entière. Et surtout : solaire.

Enfin, bon. Je vois bien que tu as la tête occupée par cette Adeline mythomane. J'espérais que mon « enquête » t'aurait détourné de tes obsessions, mais je constate malheureusement que c'est l'inverse. Tu aimes te compliquer la vie, Pierre-Marie, c'est désespérant. J'ai toujours pensé qu'il fallait être un peu fêlé pour être artiste : ce n'est pas ta fréquentation qui va me faire changer d'avis !

Bon, je file.

Max t'embrasse !

Moi aussi. Et n'oublie pas qu'il y a une vie en dehors des livres, hein ? Une vraie vie, pleine de vrais gens.

Josy

De : Oliver
À : Pierre-Marie

Le 8 avril 2013

Mon cher Pierre-Marie,

Je trouve ton message ce matin, et c'est en ami que je te réponds.

Laisse de côté mon rôle d'éditeur, oublie Saint-Malo, et dis-moi franchement ce que signifie cette métaphore cycliste : es-tu en train de perdre les pédales ? As-tu déraillé ?

Ne tournons pas autour du pot : as-tu des nouvelles de Véra ?

Tu sais, depuis que cette sale histoire t'est tombée dessus, tout le monde se fait du souci pour toi, ici, à commencer par moi. Et je ne dis pas ça au prétexte que tu pèses lourd dans le catalogue de la maison, j'espère que tu ne me crois pas cynique à ce point.

J'entends bien ta demande qu'on te laisse tranquille, et je n'insisterai pas davantage si tel est ton souhait. Mais sache quand même que je pense à toi souvent. En frère.

Ne fais pas de bêtise, OK ?

Ton ami de Saint-Germain-des-Prés.
Oliver

De : Pierre-Marie
À : Josy

Le 8 avril 2013

Josy,

Je vais te soumettre un petit problème mathématique, un problème de probabilité plus précisément. Suis-moi bien.

Soit une personne qui envoie des mails à une autre, une vingtaine mettons, des mails parfois très longs. Bien. À l'intérieur de ces mails, cette personne écrit un mot, un seul mot, en MAJUSCULES, à deux ou trois reprises. Bien.

Soit une deuxième personne, qui s'appellerait Josy mettons, qui ne connaît pas la première personne, qui se rend sur le lieu d'habitation de cette première personne, qui ne la rencontre pas et qui, une fois rentrée chez elle, envoie à son tour un mail dans lequel elle écrit un seul mot en MAJUSCULES, et ce mot, tu l'auras deviné, est le même que le mot écrit en MAJUSCULES par la première personne.

Alors dis-moi un peu : compte tenu du nombre de mots existants dans notre belle langue française, compte tenu, je le répète, du fait que les deux personnes ne se connaissent pas et ne se sont jamais rencontrées, quelle est la probabilité pour que cela arrive ? Je te laisse réfléchir, ding… ding… je tape sur le bord de mon verre avec la pointe de ma fourchette… ding.

Tu ne vois pas ? Eh bien, moi, je vois et je suppose que cette probabilité est de l'ordre de 1 pour 200 000. Or c'est ce qui est arrivé. Adeline Parmelan a écrit le mot VIVANTE deux fois en majuscules dans les mails qu'elle m'a adressés et tu as fait de même après être allée là-bas. Et n'as-tu pas écrit qu'en partant de cet endroit, tu avais presque des frissons en remontant dans ta voiture, et l'envie de quitter Le Cloître au plus vite ? L'as-tu écrit ou non ?

Pardon de te malmener ainsi, mais tu ne te prives pas d'en faire autant avec moi, alors nous sommes quittes. La vraie vie ? Certes, mais les choses cachées, les choses qu'on ne comprend pas, elles en font partie, de la vraie vie.

Tout cela pour te convaincre, chère Josy, que je ne suis pas *fêlé*. D'ailleurs, et pour clore ce chapitre, tu te trompes : un artiste ne peut pas se payer le luxe d'être fêlé, pas plus qu'un chirurgien ou qu'un pilote de ligne.

Je n'arrive pas à appeler Lisbeth. Je crains, en le faisant, d'ouvrir grand ma porte alors qu'il y aurait un cyclone dehors. Tout sera emporté, arraché, soufflé : les meubles, les tableaux, le papier peint, et moi. Je ne doute pas une seconde des qualités que tu lui attribues, mais elle me fiche le trac, ton amie. Les gens *solaires* m'intimident. J'ai peur qu'elle m'envahisse de sa santé, de sa bonne humeur, de son admiration. J'ai peur… qu'elle me mange. Voilà, j'ai peur de ça : qu'elle me mange. Et mon chat le devine : il tourne étrangement sur lui-même et cherche en vain un endroit où se mettre. Il est nerveux. Est-ce que tu crois qu'une bête peut pressentir un danger à ce point ?

D'un autre côté, si je ne l'appelle pas, elle est tout à fait capable de débarquer sans préavis. Rien de plus facile que de trouver ma maison puisque tout le monde me connaît ici. Tu vois, Josy, en cet instant je voudrais être inconnu, et tout petit. Et introuvable.

Je l'appellerai demain mardi, voilà, demain.

Salue Max.
Pierre-Marie

~

De : Pierre-Marie
À : Oliver

Le 8 avril 2013

Cher Oliver,

Ta lettre m'a ému. Tu es bien plus qu'un éditeur pour moi, est-ce la peine de le dire ? Quand tu seras à la retraite et moi un auteur oublié, on se verra encore, tu le sais bien.

Quand j'ai lu ces deux mots : *en frère*, j'ai eu la gorge serrée. Ça doit être l'âge, je suis de plus en plus émotif. Je comprends mieux mon grand-père que les trois mots *Chemin des Dames* bouleversaient instantanément : sa voix déraillait, il quittait ses lunettes pour s’essuyer les yeux. Je finirai comme ça, même si je n’ai pas fait Verdun.

Non, pas de nouvelles directes de Véra. Mais je ne peux pas te mentir : je suis sur une piste, et c’est même la piste la plus sérieuse que je connaisse depuis le jour de sa disparition, le 28 octobre 2010. Je rassemble les éléments : je suis en communication avec une personne qui en sait beaucoup ; je vais écrire ce soir à une autre personne qui en sait beaucoup aussi je crois ; et surtout je détiens un document que j’ai la terreur de consulter.

C’est une piste fragile et douloureuse, que j’explore. Et cette exploration est en même temps mon *pédalage*, tu comprends. C’est du flou sur flou.

Pardonne-moi ces mystères, je te jure que je ne peux pas t’en dire plus. Un jour peut-être, quand nous taquinerons ensemble le goujon dans une rivière un peu moins polluée que les autres.

Je ne ferai pas de bêtise, dors en paix.

Je t’embrasse, en frère.
Pierre-Marie

~

De : Adeline
À : Pierre-Marie

Le 8 avril 2013

Pierre-Marie,
Paris.
La vérité, c’est que je suis à Paris.

À l'heure où je vous écris, vous avez peut-être ouvert l'enveloppe, je ne sais pas.

Au cas où vous ne l'auriez pas encore fait, vos mains vous ont déjà renseigné en partie sur son contenu.

Tout aurait été différent si vous aviez déchiré le papier kraft le jour où vous avez reçu mon courrier dans votre boîte. Mais vous êtes imprévisible, et vous ne l'avez pas fait. Dès lors, comment retenir votre attention ? J'ai écouté vos conseils d'écrivain : pour susciter votre intérêt, je me suis un peu écartée de la réalité.

C'est à partir de là que le jeu m'a échappé. Je vous avais fantasmé, et c'est votre présence qui m'est apparue : votre si merveilleuse présence ! Moi aussi, Pierre-Marie, j'ai éprouvé ce petit sursaut du cœur en voyant votre nom surgir entre deux mails sans intérêt.

Moi aussi, j'ai éprouvé ces délicieuses impatiences. Au point d'en oublier l'essentiel : j'allais, un jour ou l'autre, trahir votre confiance. S'il y a une leçon que je peux tirer de notre histoire, c'est celle-là : on ne maîtrise rien, on ne contrôle jamais l'autre. Nous ne sommes pas Dieu. Ni vous, ni moi, quel que soit le nom que je me donne.

Vous aider ? Oui, d'une certaine façon, c'était mon souhait – et ça le reste.

Je vais attendre, en silence, honteuse, votre éventuelle absolution.

Pour finir, soyez certain d'une chose : un cœur bat à tout rompre derrière le prénom qui signe ce courrier.

Adeline

De : Pierre-Marie
À : Adeline

Le 8 avril 2013

Adeline,

Non, je n'ai pas ouvert l'enveloppe.

J'y étais presque, pourtant. Il était 22 heures, Ève et ses petits avaient quitté la maison, j'avais fait la vaisselle, rangé le désordre. Je suis monté dans mon bureau, qui se trouve à l'étage, j'ai débarrassé le plan de travail de tout ce qui traînait dessus, tasses vides, CD, paperasse, et j'y ai posé l'enveloppe.

Je pense être resté plus d'une demi heure à la regarder et je n'ai pas eu le courage de soulever le rabat adhésif qui ne demandait que ça. Il est légèrement décollé, le rabat, il aurait suffi que j'en tire à peine le coin, sans même ouvrir, que j'écarte ensuite la chemise, et je suis sûr qu'en regardant de biais j'aurais déchiffré l'intitulé d'une adresse sur la première petite enveloppe blanche et que j'aurais reconnu, si je dois la reconnaître, la main qui l'a écrite. Je me rends compte que je parle de l'ouverture de cette enveloppe comme je parlerais de l'effeuillage des vêtements d'une femme, avec cette différence que ce dernier promet des délices alors que là…

Je veux savoir, mais j'ai peur que savoir me tue. Une autre fois, pour réussir, il faudra sans doute que je fonce sans réfléchir.

En attendant, je vais m'y prendre d'une autre façon, plus douce. Je connais quelqu'un qui sait et qui me dira peut-être avec moins de violence ce que je dois apprendre.

Vous voyez, nous aurons encore ce répit.

Pierre-Marie

PS : Vous avez raison, nous ne sommes pas Dieu.

~

De : Max
À : Pierre-Marie

Le 8 avril 2013

Vieille branche,

Josy n'est jamais à la maison le lundi soir, c'est le créneau du bridge. Et comme elle a vu que j'étais capable de me garder tout seul, elle a filé. Du coup, je reprends la main sur la correspondance. Après tout, c'était à moi que tu avais confié la mission d'aller au Cloître, pas vrai ? Et puisque nous avons (vieux couple oblige) la même adresse mail, disons que Josy et moi sommes devenus un peu interchangeables.

Enfin, ça dépend pour quoi : je t'avoue que je lui donnerais volontiers ma deuxième hanche pour qu'elle passe sur le billard à ma place d'ici quelques semaines !

Ensuite, l'énorme différence entre Josy et moi, je ne t'apprends rien, c'est que c'est une femme. Une satanée femelle, mon vieux ! Et de ce fait, complètement dépourvue de solidarité masculine. Quand elle m'a raconté qu'elle t'avait fourré l'autre cinglée dans les pattes, mon sang n'a fait qu'un tour. D'où mon courrier de ce soir, qui devra absolument rester entre nous. Une fois envoyé, je l'effacerai de notre boîte. Parce que si Josy tombe dessus, mon ami, je suis cuit. Promets-moi de ne pas y faire allusion dans une réponse qu'elle pourrait lire ! Je risque l'engueulade du siècle, là.

Bon, j'imagine que tu sauras tenir ta langue. Au pire, téléphone-moi sur mon portable un lundi soir.

J'ai deux choses à te dire dans ce courrier top secret.

Premièrement, tu as raison de te sentir en danger maintenant que Lisbeth P. Destivel te rôde autour. Je la connais suffisamment pour te dire que c'est une enragée. « Solaire », elle ? Peut-être ! Mais à mon avis, c'est une façon politiquement correcte de dire qu'elle a le feu au cul. Depuis qu'elle est veuve, tous les retraités du Mans tremblent de trouille, mon pauvre. Même moi qui aime la gaudriole (tu me connais), je n'en mène pas large. Alors maintenant qu'il est trop tard pour la retenir, je suis sincèrement embêté pour toi. As-tu fait creuser un abri antiatomique dans ton jardin, en même temps que ta piscine ? Si oui, tu as été bien inspiré. Sinon, prends une pelle dès ce soir, et creuse. Ou alors ton grand-père de Verdun t'a légué un vieux fusil : c'est le moment ou jamais de le descendre du grenier. Bref, tu piges : trouve le moyen d'éviter cette tarée, à moins que tu veuilles mourir comme Félix Faure.

L'autre chose que j'ai à te dire concerne ton affaire très bizarre, avec la fille du Cloître.

Josy est persuadée que tu nages en plein délire. Je pense que c'est la raison pour laquelle elle ne t'a pas tout raconté. Mais à moi, si. Elle a oublié un détail dans son « rapport » de l'autre jour. Je ne sais pas si ça a de l'importance ou pas, tu verras.

Elle t'a dit le nom sur la boîte aux lettres, mais elle ne t'a pas dit qu'il y avait du courrier dedans. Une grande enveloppe, qui dépassait. Quand elle a compris que la maison était fermée, elle s'est permis de tirer sur l'enveloppe, pour voir ce qui était écrit dessus. Saine curiosité féminine ! Figure-toi que l'enveloppe venait du commissariat du 9e arrondissement à Paris.

Fais-en ce que tu veux, mais j'espère que tu ne vas pas te fourrer dans de sales draps (si j'ose dire, sans faire de tort à Lisbeth !). Bon sang, Josy ne va pas tarder, et il faut que j'efface ce message. N'oublie pas : c'est notre secret ! Pas de gaffe !

Courage pour tout ça.

Dès que je (merde, j'entends la voiture dans l'allée !)

Je t'embrasse !
Max

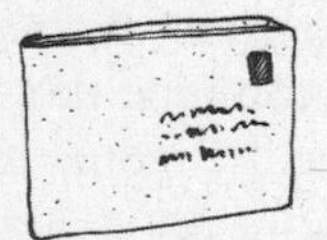

De : Pierre-Marie
À : Gloria

Le 13 avril 2013

Chère et jolie Gloria !

Je t'écris de Prague (visite au lycée français) où je

suis jusqu'à demain dimanche. Je t'interdis de venir dans cette ville sans ton amoureux. Et si tu n'en as pas, attends d'en avoir un pour venir ici avec lui, sinon c'est du gâchis. Et fais la même chose pour Venise, promis ?

Tu dois être bien étonnée de recevoir ce courrier de moi. Ce n'est pas si souvent. Mais sans doute le seras-tu plus encore après l'avoir lu. Non, ne saute pas tout de suite à la fin ! Tu sais que les écrivains détestent ça. Il m'est arrivé de voir quelqu'un le faire sous mon nez, dans un train : une jeune femme qui lisait un roman de moi, mon cher *Les Vivants et les Morts, Dart*, en plus, et qui est allée lorgner la dernière page pour savoir comment ça finissait. J'ai failli l'engueuler.

Alors s'il te plaît, sois patiente et lis les phrases dans le bon ordre, d'accord ?

Il ne manquait que toi, à Pâques, chez Nicolas, mais je ne te reproche rien. Les réunions de famille et toi ça fait deux depuis qu'il n'y a plus Véra. Et je te comprends. Je me dis aussi à chaque fois qu'on ne pensera qu'à elle, que son absence nous enveloppera comme nous enveloppait sa présence, que nous ferons semblant d'être joyeux, et que ce sera donc forcément sinistre. Mais ça ne l'est pas. On pense à elle, bien sûr, mais on l'oublie aussi. La vie reprend ses droits, regarde après les enterrements.

Chacun avait apporté quelque chose à manger, tout le monde avait envie de rire, c'était drôle, bruyant et pagailleux. Viens, la prochaine fois, tu seras agréablement surprise.

J'aurais pu t'appeler au téléphone, mais je préfère t'écrire, comme ça, j'aurai tout le loisir de peser mes mots, et il va falloir que je les pèse. De ton côté, tu auras le temps d'encaisser tout ça sans devoir réagir dans la seconde, et ce sera plus confortable. Je ne veux pas te brusquer ni te contraindre, ni te piéger.

Je veux te parler de ce vendredi soir où je suis allé te chercher à Lyon voici bientôt cinq ans. C'était en octobre 2008, tu avais donc 21 ans et tu étais déjà au conservatoire. Je suis allé te chercher parce qu'il y avait une grève des trains, tu te rappelles ? Véra n'était pas disponible, elle avait un week-end de travail avec des collègues traducteurs quelque part dans le Sud. Je suis passé chez toi très tard, vers minuit, tu m'attendais en bas de ton immeuble. Je me suis un peu perdu dans la ville en repartant et le hasard nous a amenés dans cette rue que tu reconnaîtras peut-être sur la photo ci-jointe.

Non, ce n'est pas moi qui l'ai faite, cette photo. Quelqu'un me l'a envoyée récemment en me demandant si elle me disait quelque chose. Comme cela ressemblait à un début de chantage et que je ne voulais pas m'engager là-dedans, j'ai répondu que non. J'ai même poursuivi la correspondance avec cette personne par ailleurs très attachante. Quant au manuscrit qu'elle m'avait adressé dès le début, il ne fallait plus le lire !

Or, Gloria, deux choses :

- D'abord, ce manuscrit n'est pas un manuscrit, ce sont des lettres, une quarantaine de lettres j'estime, puisque je n'ai pas ouvert l'enveloppe. Et je crois que je ne l'ouvrirai jamais, parce que cela me terrorise.
- Deuxièmement, la photo m'a plongé dans un grand trouble parce que j'y ai reconnu aussitôt cette rue dans laquelle nous sommes passés par hasard tous

les deux cette nuit d'octobre en 2008, à Lyon, et qu'il est arrivé cette chose étonnante et inoubliable.

Je roulais très lentement. Je revois les câbles du tramway, le rail, les réverbères, quelques voitures stationnées sur le trottoir, des cyclistes attardés et plus loin des piétons, qui avaient l'air de rentrer d'un spectacle ou du restaurant. Je me rappelle notre conversation enjouée, comme elle l'est presque toujours avec toi.

Et là, Gloria, tu as vu quelque chose.

Tu t'es brusquement affolée, tu as pris mon bras et tu m'as crié : *Tourne à gauche ! C'est par là ! C'est par là ! Tourne ! Tourne !* C'était une demande impérieuse et injustifiée, d'ailleurs ce n'était pas là du tout, tu nous as juste égarés un peu plus.

J'ai compris plus tard que tu ne tenais pas à aller dans cette rue-là, sur notre gauche, non, ce que tu voulais, c'était m'empêcher à tout prix d'aller plus loin dans cette rue où nous étions.

Et pendant tout le reste du voyage, tu étais comme *faussée*, je ne trouve pas d'autre mot, je veux dire que tu sonnais faux. Je ne t'avais jamais vue dans cet état, et j'en ai éprouvé un sacré malaise. Quelque chose venait d'arriver, qui m'échappait complètement, mais qui t'avait bouleversée, toi.

Or il en faut pour te déstabiliser. Dès notre première rencontre, à Toulouse, j'ai admiré ton aplomb. Tu n'avais que 15 ans à l'époque, mais je ne t'impressionnais pas pour un sou, moi le grand écrivain. Je crois bien que c'était moi le plus impressionné des deux. Et le jour où Véra m'a glissé à mi-voix, des mois plus tard (c'était en faisant la queue devant un cinéma à Valence, tu vois je m'en souviens, c'est bête), quand elle m'a glissé : *Gloria t'aime bien*, je me suis senti plus honoré par ces trois mots que par la plupart de mes prix littéraires ! Bref, ce que tu penses compte pour moi, mais tu le sais, non ?

Dans la voiture, cette nuit-là, en rentrant chez nous, j'ai cru plusieurs fois que tu allais me parler. Tu étais au bord de le faire. Quelque chose de terrible te travaillait. Mais rien n'est venu. Tu m'as demandé si tu pouvais allumer une cigarette. Je ne savais pas que tu fumais. À la maison, tu es montée droit dans ta chambre et j'ai cru t'entendre pleurer. J'aurais dû frapper à ta porte et te demander ce qui n'allait pas. Mais un homme n'est pas à l'aise dans ce genre d'exercice. Avec mes propres filles, je prends sur moi et je le fais. Avec toi, je me suis dit : Véra rentre demain, elle saura mieux s'y prendre. Mais le lendemain matin, il n'y paraissait plus, tu étais redevenue comme avant, et quand j'ai évoqué ça devant Véra, elle a juste dit que tu étais sans doute fatiguée.

Gloria, je crois que je sais ce que tu as vu cette nuit-là, à Lyon.

Tu as vu quelque chose que je n'ai pas vu, moi, parce que tu voyais mieux de loin que l'homme de presque 60 ans que j'étais. Tu as vu deux personnes main dans la main, ou se tenant par le cou, ou bien s'embrassant, ou bien poussant la porte d'un immeuble pour y entrer ensemble. La porte d'un hôtel ? Et tu as reconnu l'une des deux personnes, à cause de son vêtement peut-être, ou de sa silhouette, ou de sa coiffure. Tu as vu que cette personne était Véra. Et que l'autre était un autre homme que moi. Or normalement, dans le bon ordre des choses et le bon ordre du monde, l'homme qui tient Véra par la main, par l'épaule, qui l'embrasse, qui pousse avec elle la porte d'un immeuble, d'un hôtel, l'homme qui l'aime, et l'homme qu'elle aime, c'est moi.

(Je fais une pause, c'est dur et douloureux pour moi d'écrire la phrase qui précède.)

Ton réflexe a été de me protéger, de m'épargner cette vision bouleversante, comme on détourne le regard d'un enfant au spectacle d'un accident trop atroce pour lui, un motard qui aurait une jambe arrachée ou quelque chose de ce genre (j'ai vu ça récemment).

Mais peut-être cet homme était-il connu de toi. Peut-être étais-tu déjà dans la confidence ? Une mère et sa fille. Véra et Gloria. Les inséparables. Combien de fois êtes-vous restées toutes les deux dans la cuisine, en fin de soirée, alors que tous les autres, épuisés, s'en étaient allés dormir, moi le premier ? Véra et Gloria, qui continuent à parler doucement, à rire, à se confier leurs secrets. De quoi parlent une Véra et une Gloria à 3 heures du matin, dans la cuisine, quand tous les autres dorment ?

Combien de fois m'avez-vous chassé gentiment alors que je voulais me joindre à votre conversation, dans le jardin, dans le salon, sur les marches du perron : *du balai, monsieur ! On t'a pas sonné, toi ! On peut parler tranquillement, oui ?* Ça ne m'a jamais vexé, au contraire, je trouvais votre complicité féminine si attendrissante.

J'aime les jardins secrets, les miens et ceux des autres. Le vôtre vous appartenait, et c'était bien. Seulement, il s'est passé quelque chose, Véra a dépassé les règles du jeu, et tu n'as pas pu suivre parce que… *tu m'aimes bien*, et que tu détestes la trahison.

Véra aussi m'aimait bien, et même plus que ça. Mais c'est une dévoreuse de la vie. Je me rappelle l'ouragan qu'elle était quand nous nous sommes rencontrés à Brive. Je me rappelle sa façon de balayer tous les obstacles. Ses enfants ? Ils la suivraient. Son mari ? Elle s'en occupait, et d'ailleurs c'était fini entre eux. Ce qu'elle appelait fini, c'était sans doute juste qu'ils ne s'aimaient plus comme au premier jour. Avec Véra c'est l'incandescence, ou ce n'est rien.

Je me dis ceci : si elle a pu foutre sa vie cul pardessus tête en trois semaines après notre rencontre de Brive, pourquoi n'aurait-elle pas pu recommencer huit ans plus tard avec un autre. Logique, non ? Elle s'est mise en veilleuse pendant tout ce temps, auprès de moi, mais le feu couvait, sans doute.

Dans les jours qui ont suivi sa disparition, j'ai deviné que tu cachais quelque chose, quelque chose d'indicible. Nous avons tous mis un acharnement désespéré dans les recherches. Toi non. Comme si tu en avais déjà su la vanité. Tu t'informais tout juste sur leur avancement. Tu ne te donnais même pas la peine de jouer cette comédie. Nous étions dans le désarroi, toi dans la colère. Tu la portais sur toi cette colère, scellée, plombée, mais présente. Ça se voyait dans ta mâchoire, dans tes yeux.

J'ai voulu t'en parler plusieurs fois, et si je n'ai jamais franchi le pas, c'est par peur de savoir.

Or voilà que tout se précipite aujourd'hui. Il me suffirait d'ouvrir cette terrifiante enveloppe, mais j'aimerais tant ne pas avoir à le faire. Je n'ai pas envie de m'infliger une souffrance de plus. Je voudrais pouvoir la brûler, cette saloperie.

Et je ne veux pas interroger frontalement cette personne avec laquelle je corresponds, de peur de détruire quelque chose avec elle, je t'expliquerai une autre fois peut-être.

En un mot, je voudrais apprendre la vérité de toi, Gloria. Venue de toi, elle me sera plus douce.

Où est ta mère. Où est Véra ?

Dis-moi, s'il te plaît.

Pierre-Marie

PS : J'ai bien reçu ta carte d'Andalousie, à Noël. Merci. Elle est très belle et je l'ai punaisée au mur, au-dessus de mon bureau.

~

De : Pierre-Marie
À : Max et Josy

Le 15 avril 2013

Cher Max, chère Josy,

Je sais que mes messages à l'un arrivent tôt ou tard dans les pattes de l'autre, alors je fais coup double et m'adresse à tous les deux à la fois.

Je rentre tout juste de Prague. Quelle ville ! Mais rassurez-vous, je ne vais pas vous bassiner avec le vieux cimetière juif, le Hradschin, le pont Charles ni Franz Kafka. Je sais très bien que vous vous en contrefichez car la seule chose qui vous intéresse aujourd'hui, c'est ma rencontre avec Lisbeth P. Destivel, mardi dernier.

Je ne sais pas trop comment m'y prendre pour vous la relater, dans la mesure où vos centres d'intérêt diffèrent quelque peu. Je vais essayer de vous satisfaire tous les deux, chacun n'aura qu'à lire la partie qui le concerne.

Pour Josy : J'ai appelé Lisbeth le mardi matin en lui proposant de passer dans l'après-midi, mais elle a réussi à me convaincre de la recevoir pour le déjeuner, elle se chargeait de tout.

Pour Max : Cette folle a débarqué à 12 h 50, pile au moment où Nicolas Stoufflet posait la question du super-banco. Elle avait dans un panier de quoi nourrir sept personnes pendant une semaine, et trois bouteilles de rosé de Provence !

Pour Josy : Elle était en tenue printanière malgré la température frisquette. Tu as raison, c'est une jolie femme.

Pour Max : Elle était près d'exploser dans sa jupe, et aussitôt assise, elle a passé son temps à la tirer vers ses genoux. Là, tu te dis : pourquoi elle ne l'a pas prise plus longue ? J'avais complètement oublié à quel point elle était gironde, en fait.

Pour Josy : Nous avons déjeuné dans la cuisine. Elle m'a raconté plein de choses sur son enfance à Crest, son adolescence au lycée de Montélimar, sa rencontre avec son mari, ses trois fausses couches, son deuil. Elle a un débit de parole incroyable, ton amie. Elle a beaucoup compati sur ma solitude.

Pour Max : On a mangé son cake aux olives dans la cuisine, en sifflant la première bouteille de rosé. Son obsession, c'était ma solitude. J'avais beau lui dire que non ça allait, elle y revenait sans cesse. Même pas un animal ? – Si, j'ai un chat. Elle l'a cherché du regard, mais tu penses bien que la pauvre bête s'était planquée depuis longtemps.

Pour Josy : Nous nous sommes mis au travail vers 16 heures, dans le salon, un peu gris pour tout dire.

Son adaptation m'a un peu désarçonné. Elle a cherché à *dynamiser* mes dialogues et le résultat est surprenant.

Pour Max : On s'est mis au boulot au milieu de l'après-midi, bien bourrés. Tu l'imagines assise sur mon fauteuil bas, avec sa jupe. Son adaptation est à chier. Je croyais avoir tout vu en ce domaine, mais un massacre pareil, jamais !

Pour Josy : Il est arrivé un moment où elle a fait tomber ses feuilles par terre. Je suis allé l'aider à les ramasser. J'aimerais pouvoir te raconter la suite, Josy, mais tu connais mon indécrottable pudeur. Te rappelles-tu ces films d'avant la révolution sexuelle de 68 ? Dès qu'un couple commençait à s'embrasser, la caméra effectuait un travelling latéral sur un bocal de poissons rouges ou sur une plante verte. Eh bien, disons que tu devras te contenter de ça.

Pour Max : Je ne sais pas comment elle s'y est prise. Une technique imparable. Son paquet de feuilles qui vole, je me précipite pour l'aider à les ramasser, sans avoir eu le temps de comprendre je me retrouve le nez sur ses genoux. La suite, mon pauvre, je te laisse imaginer. Sache seulement que lorsqu'une heure plus tard, je lui ai dédicacé *Le Retour de la bête*, je peux te garantir que ces mots avaient pris tout leur sens.

Pour les deux : Je vous embrasse.

Pierre-Marie

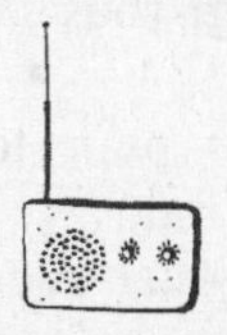

De : Josy
À : Pierre-Marie

Le 16 avril 2013 19h08

Pierre-Marie,

Puisque tu sembles prendre un malin plaisir à croiser les points de vue, je vais être honnête avec toi : j'ai eu Lisbeth au téléphone le lendemain de votre « séance de travail ». Du coup, j'ai failli m'étrangler en lisant ton message.

D'accord, mon amie n'a pas ton talent ni ton imagination, et je ne peux rien dire au sujet de son adaptation du *Retour de la bête*, si ce n'est qu'elle y a mis une grande application. Mais pour le reste, j'ai envie de lui faire confiance davantage qu'à toi.

C'est quand même curieux qu'un homme de ton niveau, de ton âge, de ta culture, en soit encore à juger les femmes d'après la hauteur de leurs jupes. Ça, contrairement aux scènes d'amour de cinéma que tu évoques, ça n'a pas changé depuis les années 60 ! Trop long = coincée. Trop court = danger.

Et bien sûr, c'est elle qui a provoqué le courant d'air fatal ! Et bien entendu, tu t'es retrouvé le nez dans cette fameuse jupe sans l'avoir voulu !

À lire ce que tu écris hypocritement « Pour Max », on dirait que tu as agi sous la menace d'une arme ! Mon pauvre !

Est-il trop difficile pour toi de reconnaître que Lisbeth a un charme fou ?

Pourquoi ne pas avouer que tu avais envie d'elle ? Pourquoi ne m'écris-tu pas simplement pour me remercier de t'avoir remis en contact avec une VRAIE FEMME ?

Oui, je viens d'écrire ces deux mots en MAJUSCULES !

Oui, je suis remontée comme une PENDULE !

Oui, je continue d'être l'EMMERDEUSE que j'ai toujours été !

Si je n'ai pas répondu à ton message loufoque au sujet des statistiques et des majuscules, c'est parce que je n'y ai rien compris.

J'avais l'espoir que la visite de Lisbeth te remettrait la tête à l'endroit, que sa présence réelle t'obligerait à passer à autre chose, mais l'ironie de ton courrier me prouve que j'ai eu tort. Tu préfères te vautrer dans des suppositions, des hypothèses, des mystères, plutôt que dans un lit, avec une femme aimante, eh bien : tant pis pour toi.

Pour ta gouverne, Lisbeth n'a rien d'une hypothèse. Elle a passé un moment merveilleux avec toi. Elle m'a raconté que vous aviez beaucoup ri, beaucoup parlé. Elle t'a trouvé tendre et sensible. Elle m'a même raconté que tu avais pleuré entre ses bras et que tu lui avais offert des fleurs de ton jardin avant qu'elle parte. Vois-tu, quand un homme pleure, puis offre des fleurs à une femme après avoir fait l'amour avec elle, la femme suppose que c'est le signe d'une relation qui commence. Dois-je t'apprendre le b.a.ba de l'amour ? As-tu oublié ces règles élémentaires ?

J'espère, Pierre-Marie, que tu ne vas pas te comporter comme un mufle avec mon amie. Elle était déçue de te voir partir à Prague si vite après vos retrouvailles, mais elle compte te revoir, figure-toi. Elle t'attend, elle !

Alors si ce n'est pas le cas pour toi, tu as intérêt à retrouver dare-dare l'inspiration et à tourner un courrier digne de ce nom pour lui expliquer que tu n'as plus de cœur.

Une dernière chose : Max et moi nous sommes copieusement engueulés à cause de cette histoire. Merci pour la zizanie.

Bises quand même.
Josy

~

De : Max
À : Pierre-Marie

Le 16 avril 2013 20h53

Mon cochon,

Je me souviens d'une soirée chez toi, où tu nous avais fait marrer en lisant les articles foireux des critiques littéraires, tu te rappelles ? Parmi le catalogue des tournures creuses, il y en avait une qui te crispait particulièrement, c'était un truc du genre « ce livre ne vous laissera pas indifférent ». Eh bien, mon vieux, dis-toi que ton courrier ne nous a pas laissés indifférents, Josy et moi ! Tu peux même te vanter d'avoir déclenché un fichu cataclysme jusqu'au Mans ! Quel talent ! Quelle plume ! Mais, comme diraient encore les critiques, « les avis sont partagés » : d'un côté, la fureur de Josy, de l'autre, le fou rire de Max. C'est à ça qu'on reconnaît les chefs-d'œuvre, non ?

Ah ! là, là ! je n'avais pas ri comme ça depuis que

j'ai mal aux hanches : t'imaginer à quatre pattes, le nez entre les jambes de cette dingue de Lisbeth m'a guéri de toutes mes douleurs ! Et plus je riais, plus Josy se renfrognait, et plus je me tapais sur les cuisses, plus elle me fusillait du regard. La scène qu'elle m'a faite ! On se serait cru quarante ans en arrière, à la grande époque du MLF : cette histoire de jupe l'a rendue hystérique.

Résultat : Josy me fait la gueule comme si c'était moi qui m'étais tapé sa copine. Du matin au soir, je l'entends râler après les hommes. Tous des lâches, des vauriens, des machos, des queutards, des insensibles, des gosses, et je t'en passe. Mais ne t'en fais pas ! Dès qu'elle sera calmée, je la connais, on va se rabibocher sur l'oreiller. Pourvu que ma patte folle veuille bien suivre le mouvement, je te devrai une fière chandelle, mon cher ! Et je ne choisis pas cette image par hasard !

Bon, cela dit, je n'oublie pas que tu es dans une sacrée panade. Bien vu, le coup du voyage à Prague, mais d'après ce que j'ai perçu des multiples conversations téléphoniques entre Josy et ta Mata Hari, elle s'est entichée de toi, et elle se fait fort de bientôt remplacer Véra.

Si j'avais la santé, je t'aurais proposé de foutre le camp entre hommes quelque part sous les tropiques, mais je suis encore cloué à la maison pour un moment. Qu'est-ce que tu comptes faire ?

Bon, je te laisse, la Gorgone rôde ! J'efface tout ! C'est marrant, j'ai l'impression d'avoir une maîtresse nommée Pierre-Marie Sotto !

Bon courage, et planque tes abattis !

Max

~

De : Adeline
À : Pierre-Marie

Le 17 avril 2013

Pierre-Marie,

J'ose vous écrire, bien que ma main tremble un peu au-dessus du clavier.

Depuis votre dernier message, le temps me paraît suspendu. Je suis à l'arrêt, pétrifiée et en apnée, un peu comme dans le jeu des enfants, vous savez : 1, 2, 3... soleil ! Si je bouge sous vos yeux, j'ai perdu. Éliminée !

Le problème, c'est que j'ai terriblement envie de jouer avec vous, encore, et encore. Tout mon être refuse d'admettre la fin de la partie, et j'ai senti, à travers vos derniers mots, que vous n'aviez pas envie de vous y résoudre non plus. Avez-vous ouvert l'enveloppe, finalement ? Avez-vous parlé avec cette personne, ce « quelqu'un qui sait ce que vous redoutez d'apprendre » ?

Vous savez à quoi je rêve, en silence, depuis que nous avons cessé de nous écrire ? Je rêve de tout recommencer, mais dans mon nouveau scénario, il n'y a pas d'enveloppe volumineuse, pas de photo, pas de lettres, rien. Il y a simplement une femme qui vous écrit pour vous dire combien elle aime vos romans. Alors vous lui répondez, et une correspondance se tisse délicatement, un échange sincère, délesté du poids des mystères, des non-dits, des secrets. Dans mon rêve, nous sommes nous-mêmes. La fiction reste cantonnée au domaine des livres, elle ne déborde pas sur le réel, elle ne nous embrouille pas, elle ne nous joue aucun mauvais tour.

Et puis je me réveille.

Je suis à Paris, seule dans un appartement étroit où je n'ai plus envie d'être, perchée au sixième étage d'un immeuble bourgeois du 9e arrondissement. J'allume mon ordinateur, je consulte ma boîte mail, et une sensation de vide m'accable : aucun message de vous.

Je traîne des pieds jusqu'à la kitchenette. Je prépare un café. Je regarde par la fenêtre, il fait beau, c'est le printemps, et pourtant, je regrette ces semaines humides et grises, ces semaines où la pluie venait casser la tige des jonquilles dans le jardin du Cloître, ces semaines si douces où j'avais l'impression de vivre en votre compagnie.

Où êtes-vous, Pierre-Marie ?

Comment allez-vous ?

Et votre chat ? Et votre fille ? Et vos insomnies ? Et nos poussins égarés ?

Ma main tremble toujours au-dessus du clavier. Je suis tombée dans un piège à double fond et je vous y ai précipité avec moi, je vous demande pardon.

Mon cœur est lourd d'aveux que je ne me sens pas capable de faire.

Je préférerais des insultes ; laissez-moi tendre la joue.

Votre menteuse épouvantée.

Adeline

De : Lisbeth
À : Pierre-Marie

Le 17 avril 2013

Mon tigre,

J'ai été un peu contrariée (très, en vérité) d'apprendre par Josy que tu es revenu de ton voyage sans m'en avertir. J'attendais, comme nous l'avions convenu je crois, que tu me fasses signe dès ton arrivée, que se passe-t-il ? J'ai voulu te joindre plusieurs fois dans la journée, mais je tombe sur ta messagerie comme si ton téléphone était éteint. D'où mon message, que je t'envoie du syndicat d'initiative de Crest. Pas facile de trouver un point Wi-Fi par ici.

As-tu des soucis de batterie ? De santé ? J'espère que non, et j'espère surtout que tu vas m'appeler ce soir. Mon père va mieux, et je sens que ma présence l'encombre davantage qu'elle ne le soulage. J'essaie pourtant de me faire toute petite et discrète, mais il est habitué à sa solitude désormais, et je crois qu'il préférerait me voir décamper. Je pensais partir demain, et faire un crochet par chez toi avant de remonter au Mans. Sauf contrordre, c'est ce que je ferai. Vers midi, comme la semaine dernière ? J'apporterai le pique-nique (hum, si j'ose dire !!) et si tu as envie que je reste un peu, je serai à toi autant que tu le voudras. Voilà, c'est dit. J'ose espérer que ton silence n'est pas un mauvais signe. Nous avons passé ensemble, mardi dernier, un moment si beau que j'en serais peinée.

Hâte de t'entendre.

Hâte de te voir.
Hâte de t'étreindre.

Ta tigresse, Lisbeth

~

De : Oliver
À : Pierre-Marie

Le 17 avril 2013

Mon frère Pierre-Marie,

Pour une occasion, c'est une occasion : figure-toi que je descends demain à Valence pour la réunion de représ de toute la région Sud-Est. C'est Dom qui devait y aller, mais le pauvre a fait une chute de Vélib' hier matin, et il est salement amoché. Rien de très grave, mais il a quand même perdu deux dents et gagné un coquard pas possible sur la joue droite. Pour tout te dire, dans les couloirs, on l'appelle Mike Tyson.

Bref, c'est moi qui le remplace au pied levé. Je prends le train ce soir. La réu durera toute la journée, mais je serai probablement libre vers 18 heures. Que dirais-tu d'un apéro solide suivi d'un dîner en amoureux, juste toi et moi, hein ? Si tu connais un endroit où l'on peut se taper la cloche, je suis ton homme !

Dis-moi oui, j'en serais ravi.

À demain, j'espère !

Oliver

PS : J'ai essayé de te joindre, mais ton portable reste désespérément sur messagerie.

~

De : Pierre-Marie
À : Oliver

Le 17 avril 2013

Oliver,

Tu peux pas savoir, tu me sauves la vie ! Oui, c'est d'accord pour demain soir, et comment ! Mais s'il te plaît, envoie-moi d'urgence avant 11 heures un autre mail dans lequel tu me diras que tu veux absolument déjeuner avec moi, pour le boulot. Tourne ça comme tu veux, mais il faut que ça sonne très professionnel et que je sois obligé de venir. Fais ça s'il te plaît, je t'expliquerai. Pour la peine, je te récupère où tu veux à 18 heures à Valence et je t'emmène dans un restau du feu de Dieu.

Oh la vache, MERCI !
Pierre-Marie
PS : Vouvoie-moi !

De : Pierre-Marie
À : Adeline

Le 17 avril 2013

Adeline,

Je suis là. Je suis encore là.

Votre courrier me bouleverse et me donne le vertige.

À moi aussi cette semaine de silence a paru interminable. Et pourtant il s'en est passé, des choses. J'ai eu la visite de l'« autre Sarthoise » (vous aviez votre banquier, j'ai ma harpie, je vous raconterai peut-être un jour notre rencontre, tiens, un poussin de plus) et je suis ensuite allé à Prague où j'ai passé quatre jours, mais rien de tout cela ne m'a distrait de vous, pas plus les eaux tranquilles de la Vltava que les assauts de ma Sarthoise. Je vous oubliais l'espace d'une heure ou deux, puis mes pensées revenaient mécaniquement, automatiquement, irrésistiblement vers vous, comme l'eau qui coule toujours dans la pente (oh, ça ne s'améliore pas, mes comparaisons ! Et tous ces adverbes en *-ment* ! Sotto, reprends-toi !).

Aussi, quand j'ai vu votre nom dans ma boîte, tout à l'heure, mon cœur a bondi. Merci d'avoir fait le premier pas vers nos retrouvailles, car de mon côté, plus les jours passaient et moins j'osais. Tenez, voici une raison de plus de trouver que la vie est belle, la cinquième je crois : retrouver quelque chose qu'on croyait perdu.

Quel que soit le nom que je me donne écrivez-vous dans votre courrier du 8 avril. J'ai de quoi être troublé, vous ne pensez pas ? C'est Adeline Parmelan que je connais et c'est à elle que je me suis attaché. Pas à vous, qui êtes je ne sais qui, qui venez nous déranger et qui me faites peur.

Et c'est à Adeline que j'écris encore en cet instant.

S'il reste quelques fibres à notre corde, à notre désormais si mince corde, et si nous ne tirons pas trop fort, si nous sommes très délicats, peut-être qu'elle ne cassera pas tout à fait.

Non, je n'ai pas ouvert cette enveloppe. Non, la personne que j'ai interrogée ne m'a pas encore répondu. La partie n'est pas finie.

Ma fille ? C'est d'Ève bien sûr dont vous voulez parler. Elle joue le vaillant petit caporal dans la bataille, flanquée de ses deux soldats miniatures qui lui demandent sans cesse *pourquoi papa est fâché.*

Mon chat ? Mon chat n'a aucun affect. Il mangerait dans sa gamelle à côté de mon cadavre. Mais je continue à m'occuper de lui, par habitude. C'était le chat de Véra, vous l'ai-je dit ?

Mes insomnies ? Je les apprivoise avec la radio. Des gens que je ne connais pas viennent briser le silence et me parler à l'oreille.

Puisqu'il n'y a plus de banquier, ni de chorale, ni de cuite au schnaps, ni de Philémon, parlez-moi de Paris où vous êtes, de ce que vous y fabriquez. Et qui sait ? Peut-être le miracle aura-t-il lieu : je vous croirai encore.

Pierre-Marie

~

De : Oliver Vandewert
À : Pierre-Marie Sotto

Le 17 avril 2013

Très cher Pierre-Marie Sotto,

Comme convenu avec le service promo, je reviens vers vous au sujet de l'important rendez-vous programmé ce jeudi 18 avril à Valence. À l'occasion de notre séminaire annuel, toute l'équipe des Éditions du Songe, ainsi que les libraires et les représentants (région Sud-Est), vous attendront au Centre des Congrès à partir de 10 heures (cf. plan joint). La présentation sera suivie d'un lunch à 12 h 30. Votre table ronde de l'après-midi débutera à 14 h 30, et j'aurai l'honneur de me charger moi-même de la modération. À l'issue de cette journée, nous vous avons réservé un temps de dédicaces en partenariat avec la librairie Motif.

Je me réjouis de vous retrouver à Valence pour cet événement, et vous prie de croire, cher auteur, en l'expression de mes sentiments les plus cordiaux.

Oliver Vandewert

Responsable éditorial / Éditions du Songe

PS : J'ai fait de mon mieux, j'espère que ça te va, petit cachottier ! Tu me raconteras, hein ? Je t'attendrai vers 18 heures à la sortie de ce même Centre des Congrès (cf. plan joint !). À ce soir !

De : Pierre-Marie
À : Lisbeth

Le 18 avril 2013

Lisbeth,

Quand la poisse s'y met !

Je t'explique. À peine rentré de Prague, je veux t'appeler, mais il fait tellement beau que je décide auparavant de remettre ma piscine en fonction. Je me penche pour dévisser un bouchon de refoulement, et mon téléphone portable, qui était dans la petite poche de ma chemise, tombe à l'eau. Mort !

Le temps d'aller en acheter un autre à Dieulefit, je reçois, presque en même temps que le tien, ce message de mon éditeur (que tu trouveras en pièce jointe). C'est un type bien, mais un peu coincé, qui garde ses distances avec ses auteurs, et qui surtout ne déteste rien tant que la désinvolture. Bref je n'ai pas d'autre choix que dire amen et foncer à Valence pour la journée.

Tant pis pour le pique-nique et les délices adjacents. Une autre fois.

Je suis heureux de savoir que ton père va mieux, et je suis convaincu que ta présence n'est pas étrangère à sa rapide guérison. Il préfère te voir partir ? Ne le prends pas pour toi, ces vieilles personnes sont attachées à leur calme, à leur routine, et le moindre changement les perturbe.

Fais bonne route jusqu'au Mans, 751 kilomètres, ce n'est pas rien !

Pierre-Marie

De : Pierre-Marie
À : Oliver

Le 18 avril 2013

Cher Oliver,

C'était par-fait ! Crédible et convaincant. C'est bien simple, j'ai failli y partir, à cette réunion ! Merci encore.

Oh putain, j'ai failli transférer ton PS avec le message ! J'avais le doigt sur la touche *envoyer* ! Sueur froide.

À ce soir pour une bonne bouffe bien arrosée, j'en ai besoin, tu peux pas savoir. Je te dirai tout. Je t'entends déjà rire.

Pierre-Marie

De : Pierre-Marie
À : Josy

Le 19 avril 2013

Josy,

J'écris Josy, mais si ça se trouve c'est Max qui va lire ce mail. Je n'y comprends plus rien à votre boîte.

J'ai l'impression que chacun de vous deux lit par-dessus l'épaule de l'autre, qu'on ne peut plus atteindre l'un sans que ça ricoche sur l'autre et je n'aime pas ça. Fais gaffe, Josy, Max va finir par m'envoyer des messages secrets qu'il se dépêchera ensuite de supprimer. C'est ce que tu veux ? C'est en tout cas ce qui arrivera si vous continuez à faire boîte commune. On n'a jamais vu deux chiens manger dans la même gamelle. Ou alors ça finit mal.

Qu'importe. Là, tout de suite, c'est à toi, Josy, que je m'adresse.

Est-ce que tu penses que les rôles sont définitivement distribués dans la vie entre ceux qui tyrannisent et ceux qui s'écrasent ? Entre ceux qui ont le droit de se mettre en colère et ceux qui doivent se contenter de baisser la tête ?

Mais quelle donneuse de leçons tu fais, j'y crois pas ! Est-ce que tu te rends compte que tu me dictes ce que je dois faire et ne pas faire ? Une lettre d'explications à Lisbeth ! Pourquoi pas d'excuses tant que tu y es ? Je devrais m'excuser de quoi ? De m'être quasiment fait violer par elle ? Parce qu'il s'agit de ça, figure-toi ! Elle m'a saoulé avant de me faire tomber dans son piège (le coup des feuillets qui s'éparpillent) et de se livrer sur moi à des assauts sexuels qui ne m'ont laissé aucune chance. Et sur le tapis de la salle, en plus. N'importe qui aurait pu passer à l'improviste, un livreur, un voisin. Une fois le bon moment passé (je ne peux pas le nier), j'étais furieux de m'être fait avoir. Parce que évidemment un homme digne de ce nom ne peut pas se contenter, après ce genre de galipettes, de dire au revoir merci et de disparaître. C'est là que tout se complique ! Il faut poursuivre par des petits cadeaux, la promesse d'autres rendez-vous, avec des mots doux. Sais-tu qu'elle me nomme son *tigre* et qu'elle est ma *tigresse* ? En lisant ça, j'ai dû lutter pour ne pas prendre à chaud, par un bête réflexe de survie, un billet open pour Zanzibar. Connais-tu la différence entre l'amour et le meurtre ? Il n'y en a pas. Dans les deux cas, la même question se pose : que faire du corps, après ? Je sais, c'est cynique, mais dans le cas présent, comme je comprends !

J'aurais pleuré dans ses bras ? Moi ? J'hallucine. Là on n'est plus dans le simple mensonge, on est dans la psychiatrie.

Son adaptation ? Tu me dis qu'elle s'y est appliquée ? Mais alors j'imagine avec épouvante ce qu'elle aurait pondu *sans* s'y être appliquée. Quand, sous prétexte de *dynamiser* mes dialogues (son obsession), elle transforme le : *Vous dormez, monsieur Digne ?* de l'infirmière en : *Alors, pépère, on en écrase ?*, les bras m'en tombent. Et c'est tout à l'avenant.

Alors, voilà, Josy. Je vais en effet écrire à Lisbeth, et j'y mettrai les formes, je ne suis pas un mufle, mais si elle sait lire entre les lignes, elle comprendra le sens profond de mon courrier qui tiendra en deux mots : lâche-moi !

Et de ton côté, si tu parles de tout ça avec elle, je t'en prie, va dans mon sens.

Bon. Josy, Max, j'ai hâte qu'on mette tout ça derrière nous et qu'on reprenne notre amitié là où on l'a laissée avant Adeline Parmelan, avant Lisbeth, avant tout ça.

Je vous embrasse.
Pierre-Marie

~

De : Lisbeth
À : Pierre-Marie

Le 20 avril 2013

C'est bon, Pierre-Marie, j'ai compris. Ne te donne pas la peine de m'écrire pour me mentir encore, Josy m'a transféré les parties du message que tu lui as adressé – en tout cas celles qui me concernaient. Les véritables amies sont là pour ça : pour arracher les sparadraps d'un coup sec. Oh oui, je te lâche ! Bon débarras ! Et je t'épargne du même coup le pensum de devoir m'écrire. Trop bonne, trop conne, tant pis pour moi. Je sais désormais, et dans ma chair, que les écrivains ne valent pas mieux que n'importe qui.

Je te dirais bien d'aller te faire f…, mais je suis trop polie.

Lisbeth

PS : Tu sais à quoi m'a fait penser le courrier « officiel » de ton éditeur que tu as osé me joindre l'autre jour ? Aux mots d'excuses que mes élèves de cinquième bidonnaient quand ils n'avaient pas fait leurs devoirs. Sauf qu'eux, je les trouvais attendrissants.

PPS : Bon courage pour restaurer l'amitié de Josy.

~

De : Lisbeth P. Destivel
À : Pierre-Marie Sotto

Le 21 avril 2013

Finalement, je retire ce que j'ai écrit hier : je ne te lâche pas. Pas sans t'avoir dit, au moins, deux ou trois choses pour ta gouverne.

Un : Les expressions cochonnes, que tu as grognées dans mon oreille gauche lorsque nous avons roulé sur ton tapis, sont désormais répertoriées par ordre alphabétique dans un fichier de mon ordinateur. Ce fichier est intitulé : « Pierre-Marie Sotto a-t-il autant de talent à l'oral qu'à l'écrit ? » Le sous-titre est : « Dans l'intimité d'un prix Goncourt ». La première expression de la liste est « Croque-moi tout cru ». La dernière est également allitérative : « Viens, viens, viens vite ». On remarquera la pauvreté du style. Je tiens l'ensemble du fichier à ta disposition.

Deux : Le slip blanc que tu portais, et que je t'ai délicatement enlevé à ta demande (voir l'expression répertoriée à la lettre R : « Retire-moi ce truc, j'en peux plus »), doit valoir cher sur les sites « vintage » spécialisés dans les années 60. À défaut d'écrire un nouveau best-seller, tu pourras toujours le vendre, ça te paiera l'entretien de ta piscine.

Trois : En y regardant de plus près et à la lumière de ce que je sais de toi maintenant, *Le Retour de la bête* est un texte misogyne, écrit par un homme étriqué, qui a peur du sexe féminin. C'est triste, mais je renonce à lui apporter la dimension sauvage, débridée, qui lui fait défaut, et dont le titre n'est qu'une pâle promesse.

Quatre : Je n'ai violé personne. Tu étais au garde à vous AVANT que mes feuillets ne s'éparpillent. J'ai une très bonne vue, et, pour en avoir suscité quelques-unes, je sais voir les bosses dans les pantalons.

C'est tout pour aujourd'hui.

Ta « dévouée » Lisbeth

~

De : Max
À : Pierre-Marie

Le 22 avril 2013

Mon pauvre vieux,

Avec la vie mouvementée qui est la tienne depuis toujours, tu ne peux pas comprendre ce que c'est qu'un couple durable. Je veux parler d'un homme et d'une femme qui se sont mariés à 20 ans, et qui le sont toujours quarante ans plus tard, comme Josy et moi. Tu ne sais pas ce que c'est que d'avoir traversé la jeunesse, l'âge mûr, puis les premiers signes de la vieillesse sans changer de partenaire. Tu ignores à quel point les gens comme nous finissent par se confondre, jusqu'à trouver naturel de partager non seulement le même lit, mais la même boîte mail.

Deux chiens qui mangent dans la même gamelle : merci pour l'image. Mais c'est pire que ça ! Comme si nous faisions cerveau commun ! Comme si nous n'avions plus de vie individuelle ! C'est bizarre de s'en rendre compte si brutalement.

Pour tout dire, j'attendais avec impatience que lundi

arrive : j'attendais que Josy se barre au bridge pour pouvoir t'écrire sans crainte de la voir surgir dans mon dos pour lire par-dessus mon épaule.

Car tu as raison, c'est exactement ce qui se passe ! À peine l'ordinateur allumé, tu peux être sûr qu'elle déboule en disant tu fais quoi, tu écris à qui ? Mon pauvre vieux, je n'ai plus d'intimité depuis les années 70, et ça me fiche un sacré blues. Qu'est-ce qui nous arrive ? Depuis que mes hanches déconnent, j'ai l'impression que tout déconne.

Je me suis même réveillé ce matin avec les larmes aux yeux, et une phrase qui tournait en boucle dans ma caboche de vieux schnock. Tu veux savoir ce que ça disait ? Ça disait : je marche plus, je marche plus dans la combine, j'arrête.

Tu vas me dire : arrêter quoi ?

Je sais pas trop, à cette heure. Mais il y a quelque chose de pesant entre Josy et moi, quelque chose qui me plombe, et je suis fatigué.

Cette histoire avec Lisbeth révèle un sale truc, Pierre-Marie. Depuis que tu nous as écrit ce message à double voix, une faille est apparue et elle ne se referme pas. Josy ne décolère plus contre moi (ni contre toi), elle reste pendue au téléphone avec sa copine pendant des heures, on croirait qu'à elles deux, elles mènent une mutinerie. J'assiste à la débâcle depuis mon fauteuil de handicapé, et ça me scie littéralement les pattes. Impossible de sauter sur mon vélo ou dans ma bagnole pour m'échapper, je suis pris en otage. Reste le lundi soir pour respirer un peu.

Au bout du compte, c'est curieux, je t'envie. J'envie ta liberté, le courage que tu as eu de quitter plusieurs fois tes femmes, et j'envie ce qui t'arrive depuis la disparition de Véra. C'est stupide, je sais.

Comment peut-on envier le malheur ? Et pourtant, je t'envie ces déchirements. Je t'envie même d'avoir couché avec l'autre hystérique !

Tout plutôt que cette paralysie où je suis.

Il y a vingt ans que j'aurais dû quitter Josy. Mais tu me connais, je fanfaronne, je fais du bruit, je joue les Matamore et c'est tout. J'ai aimé une autre femme, pourtant. Une très belle et jeune femme, que j'avais rencontrée lors d'un week-end de formation. Elle était prof de sport, comme moi, mais dans un lycée près de Colmar, c'était pas pratique. À l'époque, je me débrouillais pour l'appeler d'une cabine publique quand j'allais promener le chien. Je lui écrivais des lettres, et elle me répondait dans des fausses enveloppes de la Casden que Josy n'avait pas l'idée d'ouvrir. Tu imagines ? On s'est vus en cachette, quatre ou cinq fois seulement, mais quand j'y repense, mon ami, j'ai presque une érection.

Comme c'est loin, tout ça ! Perdu, envolé, fini.

Tu veux la vérité : je mène une vie triste, voilà. Ce n'est pas vraiment la faute de Josy. Ce n'est pas vraiment ma faute. C'est comme ça. Sauf que jusqu'ici, je n'osais pas me l'avouer à moi-même. C'est là que tout change, que tout déconne : j'ai pris conscience que je suis en train de crever d'ennui.

Je ne sais pas ce que je vais faire. Probablement, passer sur le billard pour ma deuxième hanche. (L'opération a été repoussée au 16 mai.) Ensuite, qui sait ? Si je ne meurs pas sur la table d'opération, je prendrai peut-être mon courage à deux mains et mes jambes à mon cou ?

Vu l'humeur de Josy ces derniers temps, je m'imagine qu'elle sera sans doute soulagée de ne plus m'avoir sur le dos, qu'est-ce que tu en penses ? Tu crois que je saurai me débrouiller dans la vie, sans elle ?

Pardon pour le ton pitoyable de ce message, Pierre-Marie. Je t'accorde le droit de te moquer de moi autant que tu le voudras ! N'empêche, il y a un parfum de naufrage par ici... ça fout carrément la pétoche, mais c'est presque chouette. Alors quoi que te dise Josy, moi, je te remercie d'avoir foutu la merde.

Et je t'envoie une de mes fameuses claques dans le dos, tu sais : celle qui réveille les morts !

Ton ami cul-de-jatte, Max

PS : Je vais effacer ce mail, bien entendu. Sauf si j'oublie... Ce serait un bel « acte manqué », non ?

~

De : Max
À : Pierre-Marie

Le 22 avril 2013

Même soir, dix minutes plus tard.

Pierre-Marie, ça y est. Je viens d'effectuer un premier acte de dissidence : je crée MA propre boîte mail. Merde, alors, quelle bouffée d'air frais ! Et bien entendu, le premier message est pour toi.

Désormais, je suis max.tout.seul@netline.fr, et tu peux m'écrire des trucs cochons, voire tes pires pensées machistes, sans craindre de te faire appeler Arthur par la pasionaria qui vit sous mon toit. À bon entendeur !

~

De : Pierre-Marie
À : Max

Le 23 avril 2013

Cher Maxtouseul,

C'est donc moi qui inaugure ici ta nouvelle boîte personnelle, je suppose. Quel honneur insigne ! Quel mot de passe as-tu choisi ? Amoco Cadiz ? Berezina ? Waterloo ?

Pardon, je déconne par habitude, mais ton dernier courrier m'a remué. Qu'est-ce que j'ai fait, mais qu'est-ce que j'ai fait, bon Dieu ! Heureusement que tu me déculpabilises un peu, parce que sinon je n'aurais plus qu'à me fourrer la tête dans la gazinière.

Ce message à deux voix, c'était pour rire ! Juste pour rire, merde ! Je voulais seulement vous amuser, pas déclencher un tsunami. Si parfois tu te mets à la littérature sur tes vieux jours, tu liras *La Plaisanterie* de Milos Kundera ou *Pour un oui ou pour un non* de Nathalie Sarraute, et tu verras comment quelques mots ou même une simple intonation peuvent bouleverser des vies. Mais je ne veux pas te bassiner avec ça.

Tu me poses deux questions, Max : *Tu crois que je saurai me débrouiller dans la vie, sans elle ?* (celle-là, elle m'a presque fait pleurer, j'ai eu l'impression que c'était un petit garçon qui la posait) et : *Est-ce qu'elle sera soulagée de ne plus m'avoir sur le dos ?*

Je ne vais pas me défiler.

On se connaît depuis la classe de cinquième, ça fait

donc quarante-huit ans. Notre amitié n'a jamais varié. Elle va de soi. Elle n'a pas besoin d'être dite. Mais je ne me rappelle pas qu'on se soit jamais demandé l'un à l'autre : dis-moi, qu'est-ce que je dois faire ? Et voilà que tu me le demandes, après un demi-siècle. Ça me touche incroyablement et je vois bien ton désarroi. Alors je ne vais pas me défiler.

Est-ce que je pense que Josy sera soulagée de ne plus t'avoir sur le dos ? Non.

Est-ce que je crois que tu saurais te débrouiller dans la vie, sans elle ? Non.

Je crois que vous êtes faits l'un pour l'autre et que tu ne trouveras pas mieux. Je crois que vous allez cheminer ensemble pendant vingt ou trente ans de plus, que vous mourrez à trois semaines d'écart (le survivant ne supportant pas le départ de l'autre) et que sur votre tombe il y aura plein de trucs moches (je veillerai à en déposer un moi-même si je suis toujours là) : des plaques, des médaillons et des affreux livres de marbre, avec écrit dessus *Max et Josy*. Voilà ce que je pense. Ou plutôt ce que je vois. C'est ma vision de vous deux. Ce n'est pas très argumenté, mais c'est comme ça.

Et je t'aurais sans doute dit la même chose il y a vingt ans quand tu as rencontré cette femme (si tu m'avais demandé mon avis). Ce n'est pas une question d'âge.

Mais que ça ne vous empêche pas de bouger un peu votre vie d'ici là, et surtout de vous décoller l'un de l'autre. Achetez une deuxième gamelle ! Soyez fusionnels, d'accord, mais ne soyez pas fondus ! Tiens, dès que ta hanche pourra supporter le voyage, saute dans le train (enfin hisse-toi dans le train) et viens donc faire un tour chez moi, sans Josy, le temps de laisser passer l'orage. Il y a six chambres de libres, tu auras le choix. Elle verra ça d'un très mauvais œil, vu qu'elle doit fulminer contre moi à cette heure, mais tant pis. Marque ton indépendance !

Ton problème, Max, c'est pas Josy. Tu l'as très bien dit toi-même, c'est l'ennui. Ne mélange pas. Un conseil : ne prends pas de décision tant que tu n'es pas remis sur pied. On réfléchit mal sous anti-inflammatoires.

Une chose encore : j'ai pris mes responsabilités et répondu à tes questions, mais comme dit l'autre, tu es le capitaine de ta vie, et tu feras bien ce que tu voudras.

Sache seulement que dans tous les cas, je serai de ton côté.

Bon, je penserai fort à toi le 16 mai.

Je t'embrasse.

Pierre-Marie

PS : La reconquête de Josy va me prendre beaucoup de temps, je crains. Pour l'instant je préfère laisser refroidir.

PS 2 : Rien à voir, mais laisse tomber Verdun et le Chemin des Dames. Je te dois la vérité : mon grand-père n'a jamais combattu là-haut. Il a bien fait la guerre mais pas dans ces coins-là. C'est un ami qui m'a raconté ça à propos de son grand-père à lui, ça m'a plu et je l'ai repris mot pour mot en l'attribuant au mien. Je me fais presque peur, parfois.

De : Max
À : Pierre-Marie

Le 23 avril 2013

Mon cher vieux,

C'est moche d'enterrer les amis avant l'heure, tu sais ? Cette vision de ma pierre tombale, partagée avec Josy, m'a foutu un cafard monumental... Ton humour me dévaste, et ta franchise m'accable. J'aimerais te prouver que je ne suis pas l'homme d'une seule femme, j'aimerais te prouver que j'en ai encore sous la pédale ! Mais tu as raison de m'inviter à la prudence. Comment partir à la conquête du nouveau monde sur une seule patte, et avec un estomac ravagé par les anti-inflammatoires ?

Je vais prendre mon mal en patience et attendre le 17 mai pour m'évader de l'hosto avec une infirmière.

Et par pitié, arrête de me recommander des bouquins, tu sais bien que ça m'angoisse. À mes yeux, il n'y a qu'un seul écrivain valable sur cette terre de misère : toi. Alors tant que tu ne pondras pas ton prochain livre, je resterai scotché à ma télé.

Pour Josy, c'est la bonne stratégie : laisse-la perdre quelques dizaines de degrés Celsius. Son amitié avec Lisbeth a pris une tournure très déplaisante. Aux dernières nouvelles, elles envisagent de monter une antenne « Femen ». Tu les vois, ces deux greluches, seins nus dans les rues du vieux Mans ?

J'ai kiné dans un quart d'heure, je te laisse.

I will survive !

Bises d'outre-tombe.
Ton Max

~

De : Lisbeth
À : Pierre-Marie

Le 24 avril 2013

Au « grand écrivain » Pierre-Marie Sotto-Plumard,
Je me demande à quoi peuvent te servir ces deux petites choses rondes qui brinquebalent dans l'improbable slip kangourou que tu portais l'autre jour, si elles ne te donnent même pas le courage de répondre à une femme humiliée.

Sans excuses de ta part, je n'exclus pas d'envoyer mon fichier à un de ces journaux people qui se régalent des secrets d'alcôves. Je pourrais appeler ça : « Pierre-Marie Sotto saute-t-il vraiment haut ? »

Pour te donner encore un peu de grain à moudre, l'expression répertoriée à la lettre O : « Oh oui, offre-moi tes fesses. » De la grande littérature, décidément.

Dans l'attente pressante de te lire.

Ta préparatrice en « délices adjacents ».
Lisbeth

~

De : Pierre-Marie
À : Lisbeth

Le 24 avril 2013

Lisbeth,

Je ne sais pas jusqu'où tu comptes aller comme ça, mais prends garde à ce que tu fais. Ne t'aventure pas sur le terrain de la diffamation ni celui de l'atteinte à la vie privée, tu aurais de très mauvaises surprises, je te le garantis. L'une et l'autre sont des délits pour la loi française, et je ne pense pas que ta retraite de l'Éducation nationale te permettra de payer les avocats dont tu auras besoin, ni surtout l'amende que tu seras condamnée à me verser à l'issue du procès.

Alors arrêtons ce jeu, s'il te plaît. Nous sommes adultes l'un et l'autre, non ?

En fait, je n'aurais pas dû accepter de lire ton adaptation. C'est Josy qui m'y a poussé contre mon gré. Mon tort est d'avoir été faible. Ensuite je me suis empêtré dans mes mensonges.

Mais tout de même, je trouve un peu fort de café que tu m'envoies au nez mon « prix Goncourt » et que tu ironises sur le « grand écrivain ». Est-ce que je me suis vanté une seule fois devant toi ?

Pour le reste, je veux parler de tes jeux de mots sur mon nom et de tes considérations sur mes sous-vêtements et mon anatomie, je ne ferai même pas de commentaires. Relis-toi et juge par toi-même.

Mais je tiens à ce qu'on en finisse. Tu veux mes excuses ? Tu les as. Je te demande pardon, Lisbeth. Ça te convient ?

Pierre-Marie

~

De : Pierre-Marie
À : Oliver

Le 26 avril 2013

Cher Oliver,

Alors ? On y mange bien ou on n'y mange pas bien à La Bouche pleine ? Je t'avais menti ? Je trouve rassurant qu'il existe encore des petits paradis comme ça, avec un chef qui ne pète pas plus haut que sa carte et qui se contente de régaler ses clients. Mais ce que j'ai le plus apprécié ce soir-là, avec toi, ne se trouvait pas dans mon assiette. Tu ne peux pas savoir le plaisir que j'ai eu à rire. Dans cette période de ma vie, c'est un cadeau inestimable, ça vaut trois semaines de cure à Néris-les-Bains. Alors merci !

Ce qui est agréable avec toi, dans ces occasions, c'est qu'on a l'impression d'être formidablement drôle. Tu m'as fait honte avec tes hoquets, tes couinements, tes cris étouffés. Tu avais beau essayer de te bâillonner avec ta serviette, la moitié des tables voisines riaient aussi, par contagion, tu t'en es rendu compte ?

Je suis donc très content que tu aies goûté le récit de mes aventures avec cette nymphomane, mais le problème c'est que nous avons été doublés, mon pauvre. L'entremetteuse (jamais le mot n'a été justifié à ce point) m'a trahi et mon assaillante sait aujourd'hui que tu as produit un faux avec cette invitation au Centre des Congrès. Elle est furieuse.

Alors je voulais juste te mettre en garde. Si parfois,

au Songe, une certaine Lisbeth P. Destivel demande à te voir en personne, ne la reçois pas. Cette femme est extrêmement déterminée. Elle est capable, après avoir vérifié ton identité, de te mettre une grosse tête et de repartir sans dire un mot, te laissant le nez en bouillie.

À part ça, rien de nouveau sous ma plume. Je te dirai si ça vient.

Je t'embrasse.
Pierre-Marie

~

De : Oliver
À : Pierre-Marie

Le 26 avril 2013

Mon bien cher ami et frère,

Tu connais mon amour pour les bonnes tables : on remet ça quand tu veux, à Valence, à Paris, à Tombouctou ou ailleurs ! Ah, que j'ai ri ! Moi non plus, tu sais, ça ne m'arrive pas tous les jours. Sans trahir personne, grand nombre de tes collègues m'entretiennent plus volontiers de leurs droits d'auteur que de leurs relations sexuelles, et c'est bien dommage.

Je note précieusement le nom de cette Lisbeth et je la black-liste aussitôt sur l'intranet du Songe, merci pour le conseil. De ton côté, j'espère quand même que tu ne crains pas pour ta vie, rassure-moi… Je n'aimerais pas avoir à déplorer un drame te concernant, quand bien même un fait divers de ce genre ferait grimper les ventes à coup sûr ! Tu imagines ?

« Le Goncourt 2005, sauvagement refroidi par une prof de français échaudée ! » Rien que d'y penser, mes comptes d'exploitation s'affolent !

Allez, trêve de plaisanterie : malgré ce que tu m'as raconté au moment du digestif concernant Véra et ta correspondante mystère, je t'ai trouvé en forme (« En forme de quoi ? » répondait mon grand-père quand je lui rendais visite dans sa maison de retraite). Oui, mon vieux, tu as l'air mieux que l'an passé, c'est très encourageant. Et pour tout dire, j'ai remarqué cette petite flamme au fond de tes yeux, qui s'est allumée lorsque tu as évoqué ces étranges semaines de correspondance. D'où venait-elle ? Quel est ce vent qui souffle sur les braises ?

Je te laisse sur ces réflexions, en espérant bientôt de bonnes nouvelles de ta part.

Avec mon amitié humaine et littéraire.
Oliver

~

De : Lisbeth
À : Pierre-Marie

Le 26 avril 2013

Pierre-Marie,

Premier point : oui, j'accepte tes excuses. Elles manquent un peu de spontanéité, mais admettons.

Deuxième point : je fais peut-être n'importe quoi depuis le décès de mon pauvre mari, mais je ne suis pas totalement givrée. Si j'ai agité le chiffon rouge devant tes yeux, c'était uniquement dans le but de te faire réagir. Je vois que c'est réussi. Rassure-toi, je n'irai pas me mesurer à toi dans une quelconque arène juridique, je n'en ai pas les moyens (2 674 euros nets mensuels ne doivent pas peser bien lourd face aux centaines de milliers d'exemplaires que tu as vendus, merci de me le rappeler).

Troisième point : la blessure est vive, mais j'ai les moyens de rebondir, ne t'en fais pas pour moi. (Tu vois, j'ose imaginer que tu pourrais te faire du souci à mon sujet.)

Dernier point : Josy aurait dû savoir que je n'étais pas du tout ton genre. Il ne me reste plus qu'à régler ça avec elle, et toute cette histoire sans queue ni tête (quoique) trouvera son point final.

Point final.

Lisbeth

De : Pierre-Marie
À : Gloria

Le 27 avril 2013

Chère Gloria,

Tu as accusé réception de mon mail envoyé voici tout juste deux semaines, mais tu n'y as pas répondu.

Ton frère Matéo, que j'ai eu au téléphone, m'a dit

que tu étais en période de répétition pour un casting important et du coup j'ai bien peur d'être tombé au plus mauvais moment avec mon courrier. Si c'est le cas, j'en suis vraiment désolé et je te demande de me pardonner. Selon l'expression d'usage : je ne pouvais pas savoir.

Dis-moi simplement où tu en es. Je comprendrai que tu n'aies pas envie de te disperser sur ce terrain ô combien émotionnel, et je patienterai.

Aujourd'hui je veux simplement te dire que j'ai ouvert l'enveloppe, et que donc je sais.

Je l'ai fait cette nuit. Il pleuvait fort et le chat est venu se réfugier dans ma chambre, vers 3 heures du matin. Il m'a réveillé en tournant sur le lit pour trouver sa place. Je l'ai caressé un peu, puis je me suis levé, j'ai enfilé mon peignoir et je suis allé dans mon bureau. Il ne fallait pas que je réfléchisse, il fallait juste agir, c'était le moment. J'ai pris sur l'étagère du bas de ma bibliothèque cette enveloppe brune grand format qui attendait là depuis deux mois et je l'ai ouverte.

Une chemise cartonnée bleue et dedans deux piles d'enveloppes blanches longues format 22 × 11. Sur toutes, la même écriture, celle de Véra, sa belle écriture élégante et légère, la même que celle des mots qu'elle laissait presque au quotidien un peu partout dans la maison : *j'achète le pain ; vide le lave-linge et mets à sécher ; ne mangez pas les poires, elles sont pour le crumble demain.* Sur toutes les enveloppes le même timbre pour affranchissement normal, sur toutes, la même adresse en poste restante à Marseille, et toutes envoyées au même destinataire : *M. Vincent Pelletier.* Toutes avaient été ouvertes et lues.

Je les ai classées selon les dates indiquées par le

cachet, presque toujours celui du bureau de poste de Dieulefit. La première datait du jeudi 4 septembre 2008, la dernière du mercredi 20 octobre 2010, huit jours avant la disparition de Véra. Je les ai empilées en quatre tas de dix et il est resté un tas de sept. Quarante-sept lettres donc, en un peu plus de deux ans, c'est-à-dire presque deux lettres par mois en moyenne.

Je faisais tout cela avec méthode et précision, peut-être comme un parent serait capable de reconnaître à la morgue le corps méconnaissable de son enfant : *oui c'est sa montre, oui c'est son appareil dentaire.* Mais peut-être que j'ai hurlé tout de même, je ne sais pas.

J'en ai choisi une au hasard. Mes doigts tremblaient tant qu'on aurait dit que je secouais le papier, mais il me fallait aller jusqu'au bout. La lettre comportait quatre feuillets d'une écriture serrée. Elle commençait par : *Mon amour*. Mes yeux, attirés par mon nom, ont glissé au bas de la page où j'ai lu : *Pierre-Marie est un ange mais*

Je n'ai rien lu d'autre que ces sept mots. Je n'aurais pas été capable de supporter. J'ai remis la lettre dans son enveloppe. Je les ai toutes emportées dans la salle et jetées dans la cheminée avec la grande enveloppe brune, j'y ai mis le feu et je les ai regardées brûler jusqu'à ce qu'il n'en reste plus que de la cendre.

Voilà, ma Gloria.

J'en sais maintenant presque autant que toi. Tu n'as plus à trahir ta mère, ni à me cacher ton secret. J'imagine le fardeau que tu as supporté ces deux dernières années et j'admire ta force. À toi de décider ce qu'il faut me dire ou non. En tout cas, garde pour toi ce qui me blesserait encore plus, je crois que je n'ai pas mérité ça.

Peut-être pourrons-nous nous parler à nouveau, maintenant. Comme autrefois. Je n'ai pas envie de te perdre.

Je t'embrasse.
Pierre-Marie

PS : Une question tout de même. Que Véra m'ait laissé m'a plongé dans la détresse, mais j'arrive à le comprendre. Ce que je ne comprends pas, c'est qu'elle vous ait laissés, vous : tes deux frères et toi. Ou bien est-ce qu'elle ne vous a pas laissés ?

De : Gloria
À : Pierre-Marie

Le 28 avril 2013

Pierre-Marie,

Tu te souviens de ma prof de danse contemporaine au conservatoire de Lyon, Salima ? Je parlais souvent d'elle quand je revenais à la maison pour les vacances. Elle avait une façon spéciale d'enseigner, une façon que j'adorais. Notamment, elle avait l'habitude de commencer son cours par un proverbe qu'elle nous disait d'abord en arabe, et ensuite en français. Il y en a un que je n'ai jamais oublié : « Ce que tu as enterré dans ton jardin, ressortira dans celui de ton fils. » Le jour où j'ai entendu ça, j'ai pleuré pendant le reste du cours. J'ai dansé en pleurant. Salima a vu dans quel état j'étais, mais elle n'a rien dit.

Elle m'a laissée. Et à la fin, elle m'a serré l'épaule, c'est tout.

Pourquoi je te dis ça ?

Parce que je suis le jardin où maman a enterré des choses.

Comme par hasard, tu m'as réécrit un 27, et je me décide à te répondre un 28 du mois : presque un anniversaire, puisque aujourd'hui, ça fait pile deux ans et demi que maman a disparu. J'ai toujours été sensible aux signes, c'est mon côté italien. Alors, tu crois que c'est Le Jour ?

Je préfère te prévenir, la vérité est encore plus triste que ce que tu as imaginé, encore plus cruelle. Tu es sûr que tu veux l'entendre ? Si tu l'avais vraiment voulu, tu aurais lu la totalité des lettres avant de les brûler, non ?

Surtout, ce que je veux te dire, c'est que tu me demandes l'impossible : je ne peux pas faire le tri, Pierre-Marie. Si je commence à te raconter un peu, je vais tout lâcher. Pas de tri. Pas de pincettes. Pas de gants. Ce sera comme un barrage qui saute, tu comprends ?

Alors je me dis que, peut-être, ce que tu as compris pourrait te suffire ?

En tout cas, Matéo t'a bien renseigné : je suis en plein dans les répétitions pour la comédie musicale où j'ai décroché un petit rôle. (C'est *Fame*, je suis hyper-contente.) Mais là, j'ai quelques jours de repos avant la reprise de vendredi, alors réfléchis bien et dis-moi.

Gloria

~

De : Pierre-Marie
À : Gloria

Le 29 avril 2013

Chère Gloria,

J'ai eu Ève et ses deux petits ce week-end. En promenade, hier après-midi, je portais Zoé sur mes épaules et elle m'a demandé : *T'es plus fort qu'un chameau, papy ?* J'adore. Je fais cinq fois son poids, elle doit me considérer comme une force indestructible. Si elle savait.

Si j'ai brûlé aussi vite les lettres de Véra, c'était pour m'empêcher définitivement de les lire. Parce que j'aurais succombé à la curiosité en les gardant. Je serais allé chercher dedans, page à page, mot à mot, le venin qui m'aurait empoisonné pour la vie. Et je n'arrive pas à croire que tu puisses, par tes révélations, me supplicier autant que cette lecture. Tu me fais peur, bien sûr, avec tes *encore plus triste, encore plus cruelle*, mais je préfère quand même savoir par toi.

Les sept mots que mes yeux ont volés m'ont largement suffi. En les lisant, j'entendais la voix de Véra, ses inflexions, son accent. J'accepte qu'elle en aime un autre, j'accepte qu'elle soit partie avec lui, mais je n'ai pas envie qu'elle me le chante ! Tu comprends ?

Évidemment je te mets dans une position difficile. Mais puisque je suis demandeur, tu n'as pas à avoir de scrupules. Et peut-être que parler te fera du bien après ces années de silence. Je veux bien retourner avec toi la terre du jardin. À deux, ce sera moins pénible.

Quand vous me chassiez, Véra et toi, pour vous raconter vos secrets, sous le cerisier, au bord de la piscine, sur la terrasse, ou quand vous papotiez dans la cuisine jusqu'au milieu de la nuit, je pensais que c'était toi le sujet de conversation, toi, tes 18, tes 19, tes 20 ans et tout ce qui allait avec : tes amours en particulier. J'étais certain que tu étais le personnage principal de votre petit feuilleton privé. Mais maintenant que j'y repense, je me rappelle m'être demandé souvent : pourquoi sont-elles si sérieuses ? Pourquoi est-ce qu'elles ne rient pas davantage, toutes les deux ? Et c'est vrai que les éclats de rire étaient rares, entre vous.

Dis-moi ce que tu veux, ce que tu peux.

Je t'embrasse.

Pierre-Marie

PS : Je suis allé voir la bande-annonce du *Fame* de 1980. Ça dépote ! Je suppose que tu auras besoin de toute ton énergie, même si c'est un petit rôle. Tu vas parler, chanter ? Ou danser seulement ?

De : Gloria
À : Pierre-Marie

Le 29 avril 2013

Pierre-Marie,

Il pleut des cordes sur Paris aujourd'hui. Le petit morceau de ciel que j'aperçois depuis la fenêtre de ma chambre est gris comme en novembre. Mes deux copines de coloc' sont parties bosser, je suis seule dans l'appart, et j'ai mal aux lombaires comme si j'avais des rhumatismes. À 26 ans, merde ! À cause de cette douleur, j'ai consulté un ostéo il y a un mois. C'était la première fois que je le voyais. Dès qu'il a posé ses mains sur mon dos, il m'a parlé de ma mère. « Vous avez de la colère contre elle ? » Tu imagines le truc ? Je suis restée scotchée, et je n'ai rien répondu. Il a ajouté qu'il sentait un poids très lourd à l'endroit où j'avais mal, et que j'avais sans doute besoin de m'alléger de ce que je portais. Je suis sortie de chez lui au radar, et quelques jours après, j'ai reçu ton premier message.

Contrairement à Zoé, je sais que tu n'es pas aussi fort qu'un chameau, mais tu mesures quand même quelques têtes de plus que moi. En nous partageant le poids, peut-être que mon dos ira mieux ? Tu y crois, à ce genre de trucs, toi ?

Je ne sais pas trop par où commencer. J'ai la trouille, comme si maman allait débouler dans mon dos (justement !) dès que je vais écrire le nom de cet homme : Vincent.

(Je viens de faire le tour des pièces et d'écouter les bruits dans la cage d'escalier : rien.)

Il faut que je me calme.

La première fois que maman a prononcé son nom devant moi, c'était l'année de ma terminale. En 2006.

Je ne sais pas si tu te souviens de ce garçon, Erwan ? Je faisais mon TPE avec lui, il venait souvent à la maison et… je suis tombée amoureuse. C'était ma première fois. Tout s'est embrouillé dans ma tête, alors j'en ai parlé à maman. S'il y a une personne à qui je pouvais me confier, c'était elle. Je voulais qu'elle me donne des conseils, qu'elle me rassure, qu'elle me fasse rire, un câlin, je sais pas. Et c'est ce qu'elle a fait.

Du coup elle m'a raconté son premier amour à elle, un garçon rencontré l'année de ses 19 ans, quand elle est arrivée seule à Paris. C'était émouvant. Elle me l'a décrit comme quelqu'un de beau, de calme, d'intelligent et qui la faisait beaucoup rire. Il étudiait l'architecture. Elle m'a montré une photo de lui à cet âge. Il est très grand, au moins autant que toi. Elle m'a dit aussi qu'il était son « astre » et… son « désastre ». J'ai trouvé ça très poétique.

On y est revenues souvent. Chaque fois que je lui parlais d'Erwan, elle me parlait de Vincent, je crois qu'elle attendait ça. Peu à peu j'ai compris que j'avais sous-estimé le mot « désastre ». J'ai compris qu'elle était toujours en souffrance de cet homme-là. En manque. Que cet homme n'était pas seulement l'amour de sa jeunesse mais l'amour de sa vie. Et j'ai commencé à me sentir mal, à cause de papa et à cause de toi.

Et puis un jour, elle m'a annoncé qu'elle l'avait revu. Elle était tombée sur lui, par hasard, dans une rue de Marseille.

Moins d'un mois plus tard, ils se sont donné rendez-vous pour passer un week-end ensemble.

Je lui ai demandé si tu étais au courant et si ça ne te gênait pas. Elle a posé un doigt sur ses lèvres et un autre sur les miennes en m'expliquant qu'elle s'était inventé un rendez-vous de boulot avec un auteur italien.

J'ai détesté ça. Je veux dire, j'ai détesté qu'elle te prenne pour un con, mais surtout qu'elle me le dise ! Elle avait l'air d'une gamine de collège qui fait un coup en douce. Elle savait dans quoi elle s'embarquait si elle revoyait Vincent, et elle a pris son ticket sans hésiter.

C'est à partir de là qu'elle a commencé à te mentir, et que je suis devenue sa complice. Contre toi. Je te demande pardon pour ça, Pierre-Marie. Ça me dégoûte rien que d'y repenser.

La suite, ce sont les lettres échangées dans ton dos, les week-ends arrangés à Lyon ou ailleurs, toujours au prétexte de ses boulots de traduction.

Oui, c'est lui et maman que j'ai vus marcher vers nous, sur le trottoir, dans cette rue de Lyon, cette nuit d'octobre 2008, enlacés comme deux qui s'aiment. J'ai cru mourir de honte. J'ai pris sur moi toute la honte et je la porte encore.

Je ne sais pas si tu veux que je continue.

Je t'en dirai plus, si tu veux.

Je me tairai si tu me le demandes.

La pluie me fout le bourdon. Je t'envoie ce message sans relire. J'ai toujours mal aux lombaires, je vais faire des étirements.

Gloria

PS : Je danserai « seulement » (comme tu dis) dans *Fame*.

De : Pierre-Marie
À : Gloria

Le 30 avril 2013

Gloria,

Je te remercie de ta délicatesse. Tu me rappelles ces infirmières qui, tout en dosant le produit dans la seringue, vous demandent si vous allez faire du vélo par ce beau temps ou bien si le passage à l'heure d'hiver vous a perturbé. Tout leur est bon pour vous distraire et vous faire la piqûre l'air de rien. Toi tu as convoqué ton ostéo, tes coloc', ton camarade de TPE, mais il a bien fallu y venir, à ce type.

Il est très tard. Je t'écrirai demain matin.

Pierre-Marie

De : Pierre-Marie
À : Gloria

Le 1er mai 2013

Gloria,

Nuit blanche ou presque. Je suis concassé.

Je n'aurais jamais cru que ton mail me remuerait à ce point. Tu ne m'apprends pas grand-chose pourtant. Je crois que j'avais déjà deviné l'essentiel : un autre homme dans la vie de Véra et l'impossibilité pour elle de m'en faire l'aveu.

Cette idée-là, même terrible, je peux l'admettre et la supporter. Je ne me considère pas comme quelqu'un d'irremplaçable. La vie s'est toujours chargée de me ramener à la modestie, aussi bien en littérature que dans le privé.

Je peux aussi concevoir qu'elle soit partie sans rien dire parce que épuisée d'avance par les centaines d'heures que nous aurions passées à nous déchirer, ces milliers d'heures de paroles au cours desquelles on finit par se répéter à l'infini et au bout desquelles on n'éprouve rien d'autre que l'écœurement d'avoir trop parlé. J'ai divorcé trois fois, je connais cette sensation par cœur.

Je crois que c'était un soir d'octobre, en 2009. Jon était parti un mois plus tôt, nous laissant tous les deux seuls dans la maison. On était en train de dîner, la radio donnait les infos en sourdine. Véra s'est immobilisée, le regard perdu, et quelques mots ont passé ses lèvres, par erreur. Un filtre n'a pas fonctionné sans doute. Elle a dit, bas mais distinctement : *j'y arriverai pas*. Ça m'a glacé, parce qu'il y avait une telle certitude dans le ton qu'elle y a mis. J'ai manqué de courage, j'ai fait comme si je n'avais pas entendu, je n'ai pas relevé. J'ai pensé qu'elle voulait dire : *je n'arriverai pas à vivre dans ce silence, avec toutes ces absences*. Aujourd'hui, sachant ce que je sais, je pense qu'elle voulait surtout dire : *tu ne me suffis pas, Pierre-Marie, et je n'arriverai pas à te le dire.*

Oui, tout cela je peux le supporter. Je fais le dos rond, je verrouille mon cœur, ma gorge, je mate mon orgueil et je supporte.

Ce que je ne peux pas supporter, c'est qu'elle m'ait menti. Pendant deux ans.

Pas *une* fois en passant, parce qu'elle n'aurait pas pu faire autrement à cause des circonstances. Pas une fois par accident, auquel cas elle se serait excusée le lendemain, aurait demandé pardon et aurait obtenu ce pardon. Qui n'a pas menti une fois, deux fois, cinq fois ? Non, elle a menti pendant deux ans. Sept cent trente jours et sept cent trente nuits.

Ce qui m'épouvante, c'est la durée. Cela m'humilie. Ça n'infecte pas seulement ces deux années-là pendant lesquelles je peux désormais mettre en doute tout ce que nous avons partagé, ou plutôt tout ce que je *croyais* partager avec elle. Non, ça se répand aussi par envahissement sur notre vie d'avant. C'est une marée noire.

Non, Gloria, je ne veux aucun détail sur ces mensonges. Je ne veux savoir ni où, ni quand, ni à quelle occasion, ni de quelle façon j'ai été trompé.

Jusqu'à hier, jusqu'à ton courrier, je croyais être en colère contre Véra. Je pourrais en rire maintenant que je le suis vraiment. Oui, j'éprouve cette rage que tu connais bien, et dont tu m'as parlé. Est-ce que je vais t'en décharger un peu en la partageant avec toi ?

Il y a cette rage, mais il y a aussi le deuil que je dois faire maintenant de la Véra que j'ai aimée plus qu'aucune autre femme dans ma vie. Le deuil de sa personne disparue. Et pire : le deuil du souvenir que j'en avais. C'est d'une grande cruauté.

Pardon de me livrer à toi ainsi, Gloria. J'aurai 61 ans dimanche et toi tu en as 26, et si l'un doit protéger l'autre, c'est moi je pense. Mais j'ai le sentiment que nous sommes sur un pied d'égalité dans cette affaire.

Encore ceci avant de te laisser : si tu dois me dire une chose de plus, une chose que je dois savoir, fais-le. Parfois, les dentistes profitent de l'anesthésie pour arracher deux dents d'un coup. Alors vas-y.

Et encore ceci : tu n'es pour rien dans ce naufrage. Pour rien, tu m'entends.

Soigne tes lombaires. Je t'embrasse.

Pierre-Marie

De : Gloria
À : Pierre-Marie

Le 1er mai 2013

Je ne suis pas infirmière, ni dentiste ! Je suis danseuse. En tout cas j'essaie de le devenir, et c'est dur.

C'est horrible, mais parfois, je voudrais être la fille de quelqu'un d'autre. Je voudrais avoir une mère « normale », qui me téléphonerait une fois par semaine, qui viendrait assister à mes spectacles, qui m'accueillerait quelques jours en vacances dans sa jolie maison, qui me cuisinerait mon plat préféré et me demanderait comment je vais.

Mais non. Maman s'en fout, elle est partie sur une autre planète.

C'est vrai qu'elle t'a menti pendant deux ans sur ce qu'elle faisait, mais elle t'a surtout menti pendant huit ans sur ce qu'elle pensait. Et elle m'a embarquée dans son mensonge.

Quelque chose de plus ? Non. Il ne reste que la simple vérité : Vincent a été, est, et restera l'amour de sa vie. Pendant trente ans, elle a vécu avec ça. Elle a rêvé de lui, la nuit, pendant trente ans. Elle me l'a dit. Je ne sais pas pourquoi elle me mettait dans cette confidence. Je ne lui demandais rien, moi !

Et le jour où elle est tombée sur lui, dans une rue de Marseille, il a suffi qu'ils se regardent et ils ont repris leur vie à l'endroit où ils l'avaient laissée quand ils étaient jeunes. Rien ni personne n'aurait pu les en empêcher.

Je sais qu'elle a lutté, qu'elle a essayé de rester avec

nous, mais jour après jour nous perdions du terrain. Nous, c'est-à-dire toi, moi, la jolie famille recomposée, tout ce joyeux bordel.

Je me rends compte que te parler me fait du bien, Pierre-Marie. Tu m'as permis de rompre ma promesse, et même si j'ai l'impression d'être une mauvaise fille, une « traîtresse », je me dis que, si ça se trouve, je vais enfin pouvoir danser comme je rêve de danser. Tu sais, toutes mes profs, depuis que je suis entrée au conservatoire, me poussent à libérer quelque chose, à « ouvrir une porte ». Je ne comprenais pas de quoi elles me parlaient. Je n'avais pas conscience que ce secret était accroché à mes chevilles comme un boulet.

Mais comme me l'a dit papa au téléphone, je ne suis pas la mère de ma mère ! Marre de la protéger ! Marre de vouloir préserver son image de femme « parfaite » aux yeux de tous ! Non, Véra n'était pas parfaite. Et tu as raison de me rappeler que je ne suis pas responsable de ce gâchis.

Pour répondre à ta toute première question : non, je ne sais pas où elle est. Elle ne nous a donné aucun signe depuis sa disparition, ni à Diego, ni à Matéo, ni à moi. Ça dépasse ta compréhension ? La mienne aussi. Je ne sais même pas si elle est encore vivante ni si elle réapparaîtra un jour. Je sais seulement que j'ai trop pleuré sur elle. Aujourd'hui, je ne veux plus qu'elle me gâche l'existence.

J'ai besoin de vivre ma vie, de danser, d'être légère et libre. De déployer mes ailes, sans elle.

Et toi aussi, sûrement.

Je t'embrasse.
Gloria

~

De : Pierre-Marie
À : Gloria

Le 1er mai 2013

Chère Gloria,

Voilà, nous avons ouvert grand les portes et les fenêtres. C'est bien. Et c'est encore mieux si tu peux construire là-dessus. En tout cas, je te le souhaite de tout cœur.

Je veux encore te dire que tu es une fille merveilleuse et que je suis fier de toi.

Danse, désormais, ma belle. Danse ta liberté retrouvée.

Je t'embrasse paternellement, même si je viens en deuxième position, comme père (c'est pas mal, c'est le podium, quand même).

Pierre-Marie

PS : Je corresponds avec la personne qui m'a adressé les lettres. Si parfois à travers elle, j'apprends quelque chose concernant Véra, je te ferai un signe et tu me diras si tu veux savoir ou non. Est-ce que ça te convient ?

~

De : Pierre-Marie
À : Adeline

Le 2 mai 2013

Chère Adeline,

Où êtes-vous ?

Est-ce que ces petits signes que je fais apparaître sur mon écran en tapant à quatre doigts sur mon clavier (j'ai écrit douze romans avec quatre doigts, les deux index et les deux majeurs !), est-ce que ces petits signes vont vraiment arriver, par des voies dont j'ignore tout, sous vos yeux à vous, là où vous êtes, à Paris, de retour dans votre cloître ou déjà ailleurs ? Est-ce que cette magie moderne va fonctionner ? Est-ce que nous sommes les personnages d'un conte électronique ? Est-ce qu'à la fin nous allons nous connecter et avoir beaucoup de petits électrons ?

Deux semaines de silence. Mais le dernier courrier est de moi, j'ai vérifié. J'ai fait comme jadis *On y va, Minou ?*. Je disais *tiens on devrait inviter les Untel, j'ai envie de les voir*, elle me répondait *mais non, c'est à leur tour de nous inviter, la dernière fois c'était chez nous*, je disais *mais on s'en fiche, non ?* et elle disait *mais non, on ne s'en fiche pas, c'est à eux de nous inviter*. C'est à vous de m'écrire, Adeline ! C'est votre tour. *On y va, Minou ?* avait bien raison ! J'aurais dû rester avec elle, tiens !

Votre voix me manque. Oui je sais bien que je ne l'ai jamais entendue, votre voix, pas plus que je n'ai vu votre visage. Quand je dis votre voix, je veux dire votre façon de me parler. Et aussi votre façon de me faire parler, de me donner envie de vous parler. Voilà : notre complicité me manque. *Nous me manquons.*

Ce qui me touche et me séduit dans les livres, les films, le théâtre, plus que les histoires elles-mêmes, c'est ce qui les habille. La façon dont on me les raconte, leur texture, le tissu dont elles sont tissées, leur *grain* comme on dit en photographie. Et ce *grain*-là, je le trouve dans vos mots, Adeline. Vos histoires me plaisent, et votre manière de me les raconter aussi.

Non, finalement, rien de tout ça n'est la vérité. La vérité est moins savante : je m'inquiète pour vous.

Répondez-moi, s'il vous plaît.

Il s'en est passé, pendant ces quinze jours. Vous ne voulez pas savoir ? Vraiment pas ?

Allez, je tente de vous allécher : 1) j'ai ouvert votre grande enveloppe ; 2) la personne que j'ai interrogée (c'est Gloria) m'a répondu ; 3) j'ai reçu voici dix jours un courrier dans lequel quelqu'un me dit d'aller me faire f… Alors on ne veut toujours rien savoir ?

Je vous embrasse.

Et j'attends.

Pierre-Marie

PS : Ah oui, je veux bien jouer à 1, 2, 3… soleil ! avec vous. Je compterai même si lentement et je me retournerai si lentement que vous aurez le temps de vous approcher sans que je vous surprenne.

De : Adeline
À : Pierre-Marie

Le 2 mai 2013

Cher Pierre-Marie,

Si j'étais restée sans nouvelles de vous encore quelques jours, j'aurais pris le prétexte de votre date d'anniversaire pour vous envoyer un message. Le 5 mai, je vous aurais écrit quelques mots neutres (par exemple *bon anniversaire, j'espère que vous allez bien, je vous embrasse*) et j'aurais attendu, fébrile, un signe de votre part. Mais vous me devancez et, comble du comble, c'est vous qui me faites un cadeau ! Plusieurs, même, puisque chaque mot de vous est un cadeau, ce qui en fait 476 dans un même paquet. Voulez-vous savoir lesquels je préfère ? Par ordre d'entrée en scène : *chère* suivi d'*Adeline*, parce que si vous étiez en colère contre moi, vous en auriez choisi d'autres. Puis *voix* et *manque*, suivis de *complicité* et de cette formule grammaticalement incorrecte qui me remue jusqu'au fond du cœur. Car à moi aussi, *nous me manquons* terriblement, Pierre-Marie ! Mais aucun de ces mots-là n'aurait de valeur à mes yeux si vous n'aviez pas écrit, un peu plus bas, cette phrase si simple, mais si étonnante : *j'ai ouvert votre grande enveloppe.*

Vous avez ouvert ma grande enveloppe, et vous ne m'insultez pas ?

Vous avez ouvert ma grande enveloppe, et vous n'êtes pas souffrant ?

Hospitalisé ? Mort sur le coup ?

Vous avez ouvert ma grande enveloppe, et c'est vous qui vous inquiétez pour moi ?!

C'est le monde à l'envers, je ne sais plus quoi dire ni penser. Je n'ai rien fait pour mériter votre pardon, et vous semblez me pardonner quand même. Avez-vous reçu la grâce ? Vu la Vierge ? Ou bien ma poisse légendaire m'aurait-elle miraculeusement abandonnée ?

Oh, Pierre-Marie, comme je me sens bête ! J'essaie de plaisanter, mais c'est poussif. L'élégance de votre message m'oblige à faire preuve d'une grande humilité. Je vais donc accepter simplement ce bonheur de vous voir ressurgir du néant où je vous croyais disparu à jamais, et tenter de retisser avec vous le lien fragile que nous appelions amitié.

On y va, Minou ? avait du savoir-vivre, et je lui rends hommage, car pour ma part, je n'en ai aucun. C'était à mon tour de répondre, en effet, mais tant que vous n'aviez pas ouvert l'enveloppe, le silence me semblait plus honnête. Me croirez-vous, à présent, lorsque je vous raconterai les petites choses qui composent mon quotidien ? Quel gage puis-je vous offrir de ma sincérité ? Posez-moi toutes les questions que vous voudrez, j'y répondrai sans rien omettre ni travestir : je le jure sur la tête de Philémon, mon ange, mon tout petit garçon mort. Je ne vois rien de plus fort. Car si j'ai menti ou arrangé un peu la vérité durant nos semaines de correspondance, l'essentiel reste vrai. Et Philémon est essentiel.

J'ai quitté Paris il y a une semaine. Je devenais folle entre les murs étroits de mon appartement, à ressasser mes chagrins, à commencer par celui de vous avoir perdu. Je ne suis pas retournée au Cloître : depuis que j'ai découvert ce qui s'y est passé il y a cinquante-quatre ans, cette maison me fait peur.

Suite à mes exploits du week-end de Pâques, mon

permis a été suspendu pour trois mois. J'ai donc quitté Paris par la voie ferrée en quête d'un nouvel asile pour ma nouvelle vie. Je loge actuellement dans une chambre d'hôtes sur l'île d'Oléron. « Au lait rond », ai-je pensé, et j'ai soudain éprouvé de l'appétit pour cette petite terre touristique qui, hors saison, se révèle assez sauvage pour me dépayser, et assez civilisée pour ne pas effrayer la Parisienne que je suis devenue.

Je me lève chaque matin avec le soleil, et je pars marcher sur la plage. Le temps est frais, gris et capricieux. J'observe des oiseaux à longues pattes qui picorent des vers dans la vase ; j'ignore leur nom.

Je réfléchis à ce bout de chemin que j'ai parcouru, cahin-caha, dans cette vie, et aux chemins possibles que j'aimerais prendre désormais.

Passent-ils par cette île ? Je pense aussi à vous, très souvent, avec un pincement au cœur qui me donne l'air d'une âme en peine. L'autre jour, le long de la digue où je marchais, un pêcheur à la ligne m'a proposé un mouchoir. J'ai l'air enrhumée ? lui ai-je demandé. Il a souri avant de m'expliquer qu'une femme seule qui regarde la mer a forcément un chagrin d'amour. Je n'ai pas protesté. Voyez comme c'est lamentable, Pierre-Marie : je suis un cliché ambulant.

Ma chambre d'hôtes est petite, fleurie, et moderne : je dispose d'une connexion Internet haut débit. Je dispose également de longues journées silencieuses qui ne réclament que votre présence. Alors oui, dites-moi.

Dites-moi ce que vous avez pensé des lettres. Dites-moi ce que Gloria vous a appris. Dites-moi aussi qui vous a envoyé vous faire f… – avez-vous mérité pareil traitement ?

Avant de finir, juste ceci : l'Adeline qui vous a

écrit mi-février n'est plus l'Adeline qui vous écrit aujourd'hui. C'est vous qui l'avez transformée. En mieux. En beaucoup mieux.

J'ose, timidement mais sincèrement, vous embrasser.

À bientôt ?

Votre nouvelle Adeline

De : Max
À : Pierre-Marie

Le 2 mai 2013

Vieux camarade,

Je sais pas chez toi, mais ici, la météo est bousculée.

Après le tsunami et l'ambiance de fin du monde qu'on a connus ces dernières semaines, j'ai eu droit à l'alerte inondation : ma Josy en larmes dans la cuisine, hier matin. Un 1er mai aussi humide, j'avais pas connu ça depuis l'entre-deux tours des présidentielles en 2002. Tu te souviens ? Chirac-Le Pen, et les têtes d'enterrement qu'on se traînait ? Josy pleurait sur la France, à l'époque. Mais hier, c'était sur elle-même. Tu l'aurais vue, il y avait de quoi téléphoner à SOS Amitié ! La raison de tant de détresse se trouvait dans son téléphone : un SMS de Lisbeth lui reprochant de l'avoir mise en porte-à-faux avec toi, et de lui avoir fait perdre la face. La tirade était longue, je te l'épargne, mais elle se terminait par « arrête de projeter tes problèmes de couple sur les autres, et occupe-toi de tes fesses plutôt que des miennes ou de celles de Pierre-Marie, chacun s'en portera bien mieux ».

Josy était décomposée. Elle m'a regardé derrière son rideau de larmes, et là, tu sais ce que j'ai fait ? J'ai ouvert les bras.

Ça faisait douze jours qu'on se faisait la gueule. Douze jours qu'on ne se touchait plus et qu'elle me toisait avec hargne du haut de son mètre cinquante. Soudain, j'ai ouvert les bras, et quand Josy est venue se blottir dedans, toute ma rancune a fondu comme neige au soleil. C'est bien simple, j'ai cru que j'allais pleurer, moi aussi. Ce qu'on avait l'air bête, tu n'imagines pas ! Deux vieux cons de 60 piges, en pantoufles, debout devant l'évier qu'on a fait poser il y a vingt-cinq ans, en train de redécouvrir qu'on tient l'un à l'autre. À croire qu'on n'apprend jamais rien de la vie. À croire qu'on n'est pas plus malins arrivés à la retraite qu'à l'époque de nos premières culottes courtes, non mais tu te rends compte !

Pendant que je la serrais contre ma poitrine, j'ai repensé au message que tu m'as écrit l'autre soir, où tu me disais qu'on casserait nos pipes à trois semaines d'intervalle. Non, mon cher, pas à trois semaines : Josy et moi, c'est Roméo et Juliette. On mourra l'un sur l'autre, dans la minute. Voilà ce que j'ai pensé. Et pardon d'empiéter sur ton terrain avec Shakespeare.

Alors depuis hier, comme ils disent à la radio, une amélioration se prépare sur l'Atlantique : l'anticyclone des Açores pointe le bout de son nez, et ça fait du bien !

Après l'épisode de la cuisine, j'ai été au pain, et j'en ai profité pour lui acheter du muguet. Pas un brin, ni deux. Non, non ! J'en ai acheté trente-sept, autant que nos années de mariage ! (La gamine roumaine du coin de la rue de l'Ardoise m'aurait embrassé.) Quand je suis rentré, Josy avait essuyé ses larmes et fait du café, mais en voyant ma brassée de muguet, le robinet s'est rouvert. Je crois qu'elle a bu du café salé, à force. Mais tu veux que je te dise ? C'était de bonnes larmes. On s'est demandé pardon pour toutes les contrariétés, pour tous les mots de travers qu'on s'était jetés à la figure, et on a même reparlé, pour la première fois depuis Mathusalem, de ce deuxième enfant qu'on n'a jamais réussi à faire. On est remontés loin, Pierre-Marie, drôlement loin.

Voilà ce que je voulais te dire aujourd'hui, mon ami. Grâce à toi, grâce à tout ce bazar autour de Lisbeth, j'ai remis ma Josy bien au chaud dans ce grand plumard qui n'avait pas vu nos galipettes depuis des mois. Et tu sais le meilleur ? Ma hanche a tenu.

Je t'embrasse, mon vieux. Et Josy aussi. Elle t'écrira, c'est promis.

Max

~

De : Gloria
À : Pierre-Marie

Le 3 mai 2013

Mon cher papa n° 2,

Juste un mot rapide avant de foncer à ma répétition, pour te dire que moi aussi, je suis fière de toi ! Drôlement, même ! Je ne vais pas te passer de la pommade ce matin (pas le temps !), mais je sais que je pourrai toujours compter sur toi pour comprendre mes choix et m'aider si besoin, c'est précieux.

Ensuite, oui : si tu apprends quelque chose sur maman, dis-le-moi. Même si c'est triste, je préfère savoir. Fini les secrets, d'accord ?

Je vais essayer de devenir la « fille merveilleuse » que tu as l'air de voir en moi.

Je file et je t'embrasse bien fort sur tes deux joues d'ours !

Ta Gloria

PS : Tu as remis la piscine en route ? Je descendrais bien y piquer une tête cet été !

PPS : Tu viendras me voir danser dans *Fame* ? C'est programmé pour septembre à Paris. Ça va dépoter !

PPPS : La vie est belle !

De : Pierre-Marie
À : Max

Le 4 mai 2013

Cher Max,

Bravo ! Je ne sais pas qui j'admire le plus en toi : le cœur d'artichaut ou le fougueux étalon.

Et voilà que tu évoques Shakespeare maintenant ! Mais ça ne m'étonne qu'à moitié. Je pense que tu caches très bien ton jeu, et que ça t'amuse de passer pour un inculte afin de mieux contrer l'adversaire.

C'est comme au judo. Je me rappelle cette soirée chez nous (c'était mon époque norvégienne) où tu as cloué le bec à ce collègue écrivain plutôt bavard et pédant en lui rappelant qu'un cheval pouvait être caparaçonné et non pas *carapaçonné*. Il l'a fermée pendant plus de trente secondes et c'était bon !

Je suis heureux de vous savoir rabibochés, Josy et toi, mais je n'avais guère de doute à ce sujet. J'attends donc son courrier. Embrasse-la pour moi et dis-lui que je ne lui en veux pas (trop) de m'avoir balancé.

Je te laisse, j'entends le camion du gars qui m'apporte le bois pour ma terrasse. Je la refais. Nicolas va venir m'aider. Je suis curieux de voir ce qu'on va trouver en démontant l'ancienne. Trente-cinq ans de petits objets passés entre les lames !

Pierre-Marie

(Doucement, avec ta hanche, quand même.)

~

De : Pierre-Marie
À : Adeline

Le 4 mai 2013

Chère Adeline,

Le Cloître, Paris et sur une île, maintenant ! On ne vous suit plus ! D'où vous vient cette bougeotte ? Quand dans les romans, les personnages s'en vont comme ça, il y a deux possibilités : ou ils sont en quête de quelque chose, ou ils fuient quelque chose. Ou ils sont chasseurs, ou ils sont chassés. Et vous ?

Vous avez pourtant l'air d'avoir trouvé un peu de paix au milieu de ces oiseaux à longues pattes dont vous ignorez le nom. Je parie que vous avez loué une bicyclette !

Toutes les questions que je veux ! Voilà un jeu troublant et dangereux. Je me rappelle une cousine qui m'avait fait la même proposition. *On se posera toutes les questions qu'on veut et l'autre n'aura pas le droit de mentir, d'accord ?* C'était une jolie fille brune, plutôt effrontée. J'avais 13 ans et elle 15. Nous étions chez moi, assis dans le grenier. Ça m'a affolé mais je n'ai pas osé lui dire non. Elle a demandé : *qui commence ?* J'ai dit : *toi, vas-y* et j'ai attendu sa première question. Mon cœur cognait si fort que j'ai eu peur qu'elle l'entende, et j'étais écarlate. Elle a réfléchi un peu et elle a demandé : *quel est ton plat préféré ?* Là-dessus ma mère nous a appelés pour le repas et notre jeu s'est terminé comme ça. J'étais tellement déstabilisé que je me suis cassé la figure de l'échelle en descendant. Mais bon, j'ai presque un demi-siècle de plus, aujourd'hui, et je veux bien jouer avec vous.

Je commencerai tout de même par répondre aux questions que vous me posez, vous.

Ce que m'a dit Gloria ? Elle m'a confirmé ce que je savais déjà : que Véra aimait un autre homme, mais elle m'a appris qu'elle l'aimait depuis longtemps, depuis toujours. Elle m'a aussi dit que Véra me mentait depuis deux ans, et rencontrait cet homme en cachette, en s'inventant des week-ends de travail. Je sais cela depuis trois jours, et pour le supporter j'ai dû faire ce que je n'avais encore jamais fait de ma vie : je suis allé fouiller l'étagère à pharmacie et j'y ai trouvé une boîte des somnifères de Véra. J'en avale deux, chaque soir, en me disant que même absente elle est encore bien là puisqu'elle m'administre à la fois la maladie et le remède.

Ce que je pense des lettres ? Je pense que j'en ai lu sept mots et qu'ils ont suffi pour me crucifier. Je les ai toutes brûlées, et votre grande enveloppe avec. Ça, je suis très heureux de l'avoir fait.

Adeline, je veux vous confier quelque chose que Gloria ne sait pas, ni ses frères, ni mes enfants, ni les gendarmes qui ont mené l'enquête. Quelque chose que je suis seul à savoir et à quoi je ne peux pas penser sans en être encore meurtri, deux ans plus tard.

Pour comprendre, il faut d'abord que je vous dise quel genre de type je suis dans mon rapport à l'argent. Dès lors que j'en ai eu suffisamment, je situerais ça en 96 avec *La Dérive* qui a été adaptée au cinéma (le film était médiocre, mais les droits étaient conséquents), je m'en suis désintéressé. Je n'en tire ni orgueil, ni honte, c'est comme ça. C'est donc Elin (ma Norvégienne) qui s'est chargée du budget familial, et après elle Véra. À partir de 2005, je n'ai plus ouvert moi-même une seule enveloppe venant de notre banque. Véra et moi avions un compte courant commun et elle avait une procuration pour accéder à tous mes autres comptes. Comme c'est elle qui gérait tout, c'était plus pratique et ça me convenait parfaitement. Après sa disparition, les gendarmes m'ont demandé si elle ne s'était pas livrée les derniers temps à des opérations bancaires inhabituelles, à des retraits par exemple ou à des virements. J'ai affirmé, en toute bonne foi, que non, que tout était en ordre. En réalité je n'en savais rien.

Début novembre, j'ai reçu notre relevé mensuel du mois d'octobre et je l'ai épluché. Véra avait retiré 750 euros en espèces chaque semaine du mois, avec sa carte bancaire. J'ai voulu consulter les relevés des mois précédents, mais je ne les ai trouvés nulle part dans la maison. Alors je suis allé à la banque et j'ai demandé à consulter l'historique de nos comptes. J'ai découvert que Véra retirait 750 euros de nos différents comptes chaque semaine de chaque mois, depuis février 2009, c'est-à-dire depuis vingt et un mois, ce qui représente une somme totale de 63 000 euros.

C'était parfaitement légal. Je n'ai rien dit. Vous êtes la première personne à qui j'en parle. Ce n'est pas la perte de cet argent qui m'a meurtri, c'est la conscience de la longue préméditation, et le sentiment d'avoir été plus que trompé : trahi.

Que se passait-il dans sa pauvre tête quand elle prenait ma main contre sa poitrine et me disait *parle-moi* alors que le matin même elle avait retiré ses 750 euros, et que le week-end suivant elle allait en rejoindre un autre ? Des critiques me créditent de savoir *percer l'âme humaine*. Quelle plaisanterie. Je n'y connais rien. Personne n'y connaît rien.

Pendant l'enquête, je n'ai rien dit de cet argent volé parce que j'avais honte de moi et de ma naïveté. J'ai refusé le rôle du poulet qu'on plume, du pauvre type qu'on trompe et qu'on humilie à sa guise. J'ai préféré endosser le rôle du malheureux dont la femme adorée a mystérieusement disparu. Ça a davantage de gueule, non ?

Je l'ai surjoué, mon rôle. Je me suis démené. J'ai été courageux, infatigable, exemplaire. J'ai été de toutes les fouilles, de toutes les recherches.

En secret, je n'étais qu'un bloc d'amertume et personne ne l'a su. Les pires mois de mon existence. Ce sont mes petits-enfants qui m'ont empêché de sombrer.

Et puisque je ne vous cache plus rien, autre chose : les gendarmes chargés de l'enquête m'ont demandé de leur apporter le passeport de Véra. Je leur ai remis l'ancien, trouvé dans le tiroir de son bureau. Je me suis bien gardé de leur dire qu'elle en avait fait établir un nouveau quelques mois plus tôt, et que celui-ci, elle l'avait emporté.

À moi, maintenant, de vous poser quelques questions, chère Adeline. Rassurez-vous, je ferai comme ma cousine et je commencerai en douceur :

• Mangez-vous des huîtres sur votre île d'Oléron (si vous y êtes toujours), même si mai n'est pas un mois en r ?

Un peu plus difficile :

• Je sais à présent que je dois trier le vrai et le faux dans ce que vous m'avez confié de vous. Il y a des choses que je ne vous crois pas capable d'avoir inventé. Je crois en Philémon par exemple. Il y en a d'autres qui n'ont guère d'importance, mais dont je serai bluffé d'apprendre qu'elles sont des fictions parce que c'est si bien trouvé ! Ainsi, dans un de vos courriers, vous chantez *sanctus, sanctus !* toute seule, en m'écrivant et en vous enfilant des petits verres de schnaps. Je vois tellement bien la scène. S'il vous plaît, dites-moi que c'est vrai !

De plus en plus coriace :

• Que s'est-il donc passé dans ce cloître il y a cinquante-quatre ans ?

Et pour finir, la question du super-banco (Vous pouvez la tenter, ou bien repartir avec votre gain précédent. Mais en cas d'échec ce sera un dictionnaire des synonymes et un DVD, sachez-le) :

• Adeline, d'où tenez-vous ces lettres que vous m'avez envoyées dans la grande enveloppe ?

Pour finir tout à fait, des nouvelles de mon chat arrogant : il n'est pas rentré depuis cinq nuits, et le voilà qui me revient cet après-midi, maigre, affamé, assoiffé, poussiéreux. Je pense qu'il s'est laissé enfermer quelque part. Je ne sais pas lui, mais moi j'étais heureux de le revoir. Allez, ce sera une raison de plus de trouver que la vie vaut la peine. La cinquième raison était retrouver *quelque chose* qu'on croyait perdu, la sixième sera retrouver *quelqu'un* qu'on croyait perdu, son chat par exemple.

Je vous embrasse.

Vous me faites envie avec votre île.
Pierre-Marie

De : Adeline
À : Pierre-Marie

Le 4 mai 2013

Pierre-Marie,

Il est 3 h 12 du matin, et je viens de découvrir le message que vous m'avez envoyé à 00 h 31. Ça ne m'arrive pas souvent de faire des insomnies, mais là, j'ai été bien inspirée d'allumer mon ordinateur ! Je vous écrirai mieux demain à la lumière du jour, et sans doute plus calmement. Pour l'heure, j'ai juste envie de pousser un cri : 63 000 euros !! Véra a ponctionné 63 000 euros de votre compte !?!? Par chance, j'étais assise sur mon lit au moment de vous lire, et j'ai pu tomber à la renverse sans rien me casser. Bon sang, Pierre-Marie, c'est énorme !

Là, au beau milieu de la nuit, un peu pâteuse et embrumée, je ne sais pas ce qui me choque le plus. Votre désinvolture ? Votre aveuglement volontaire ? Véra amassant peu à peu son magot, sous votre nez, et sur votre dos ? Votre mutisme devant les gendarmes ? Votre honte ?

Tout cela me choque en vrac, je crois. Et en même temps, tout s'éclaire, tout se combine parfaitement ! À cette heure-ci, je ne suis pas en état de vous expliquer pourquoi cette révélation me donne le vertige, mais je le ferai, bien entendu.

Après ça, pas sûr que le sommeil revienne, mais je vais tenter l'impossible. J'ai sur ma table de nuit une pile de livres qui m'invitent à cheminer vers la sagesse. *Tantra*, par exemple, où l'auteur relate ses longs mois d'apprentissage auprès d'une femme indienne, maître tantrika, pour accéder à des états de conscience supérieure. Ce bouquin me fascine, vous connaissez ? J'aimerais tellement être capable de respirer, juste respirer sans penser à rien d'autre !

Je vais quand même faire bouillir de l'eau et m'assommer d'un mélange de valériane et de fleurs d'oranger, ça ne me fera pas de mal.

Vingt et un mois. Quatre-vingt-quatre semaines. 63 000 euros. Si je disposais d'une somme pareille en liquide, vous savez ce que je ferais, Pierre-Marie ?

Je foutrais le camp illico dans l'Himalaya pour demander à être initiée au tantrisme.

Passez une bonne fin de nuit.
Adeline

De : Pierre-Marie
À : Adeline

Le 5 mai 2013

Adeline,

Merci !

Vous vous demandez de quoi je veux vous remercier ? Eh bien, c'est de m'avoir fait rire avec ces foutus 63 000 euros ! Je vous ai imaginée, en chemise de nuit (je me trompe ?), basculant en arrière sur votre lit, la bouche grande ouverte, les yeux exorbités, renversée par cette somme renversante et répétant sur tous les tons et toute la gamme : *63 000 euros !!! Soixante-trois mille euros !!!*

Et ça m'a fait rire. C'est la première fois que j'en parle depuis deux ans et demi, et c'est pour en rire. Alors oui : merci. Vous m'avez allégé d'un poids, vous avez retiré l'arête de ma gorge, comme dans le conte, vous l'avez attrapée entre votre pouce et votre index, et sans me faire mal, vous l'avez extirpée. Oui vous êtes une sacrée consultante, je peux vous le dire ! Vous pensez ne plus l'être pour les autres, mais ça marche encore avec moi !

Merci.

(Ceci dit, et entre nous, 63 000 euros représentent peut-être un joli pactole, mais pour beaucoup de gens c'est à peine un salaire mensuel, vous savez. Nous sommes du menu fretin, Adeline.)

À cette heure, il est 5 h 30 du matin, vous devez tout juste vous endormir, malgré vos tisanes, alors moi, qui suis bien réveillé déjà, je remonte votre couverture pour vous protéger du froid et je quitte votre chambre à pas de loup, vous laissant à vos doux rêves de billets de 100 euros qui tombent d'une chute lente, comme la neige sur l'Himalaya (bravo, Sotto, un peu convenu, mais pas mal !).

Votre patient revigoré.

Pierre-Marie

PS : Tout à votre stupeur, vous avez négligé de répondre à mes questions. Mais allez, soyons tantriques et disons que nous avons l'éternité.

~

De : Adeline
À : Pierre-Marie

Le 5 mai 2013

Cher Pierre-Marie,

Mon insomnie a fini par céder à mes exercices de relaxation (en chemise de nuit, vous avez raison – et noire, je le précise), mais je n'ai pas réussi à dormir tard. Je ne sais pas si c'est le manque de sommeil ou vos révélations qui me rendent nerveuse, toujours est il que je me suis réveillée avec un coup au cœur : *bon sang, quel jour sommes-nous ? Le 5 mai, non ?* Alors permettez-moi de laisser cette sale histoire d'argent entre parenthèses pour l'instant, et de commencer ce courrier par un très conventionnel et très sincère vœu : je vous souhaite une magnifique journée d'anniversaire.

Qu'allez-vous faire aujourd'hui pour fêter vos 61 printemps ? Une partie de votre incroyable tribu sera-t-elle à vos côtés ? Sinon, votre chat prodigue va-t-il se métamorphoser en princesse et vous confectionner un gâteau ? (Vous savez, comme dans la chanson de Peau d'Âne, « préparez votre… préparez votre pâte ».) J'espère au moins qu'il vous miaulera quelque chose de gentil en langage chat et qu'il viendra ronronner sur vos genoux. Si j'étais lui, c'est ce que je ferais. Mais n'étant pas chat, mieux vaut pour vous que je m'abstienne de grimper sur vos genoux, vous risqueriez une mort par écrabouillement ! D'ailleurs, j'y pense, puisque nous entamons ce dialogue de vérité, et que j'avais laissé la question en suspens, voici la réponse que vous attendiez : 83. Du moins, c'est le chiffre qu'indiquait ma balance avant d'arriver ici. Peut-être ai-je perdu quelques grammes depuis, car bien sûr, j'ai un vélo (la charmante dame qui tient la chambre d'hôtes me prête le sien), et je pédale chaque jour à travers bois et marais pendant des heures, comment avez-vous deviné ?

Pierre-Marie, je vous l'ai promis, je vais répondre à toutes vos questions, qu'elles soient rouges, blanches, banco ou super-banco, quitte à tomber de l'échelle. Mais avant cela, fermez les yeux un instant et tentez d'imaginer une grande bringue de 1,77 m pour 83 kg, juchée sur un vieux biclou rongé par le sel marin, un truc antique à trois vitesses, et dont la roue avant est légèrement voilée. Maintenant, faites-moi pédaler ce machin le long d'une côte sableuse où le vent souffle sans discontinuer, en pleine face bien sûr. Ajoutez que cette grande bringue fume d'ordinaire un paquet de cigarettes par jour, et vous aurez une autre réponse à l'une de vos questions : si je suis venue sur cette île, c'est pour en baver !

Je plaisante à peine. Vous savez, après la mort de Philémon, après mon divorce avec celui que j'ai appelé le sale type et ma longue dépression, j'avais perdu beaucoup de poids. J'étais dans un état lamentable à tous points de vue, sauf pour une chose : pour la première fois depuis l'adolescence, j'avais la silhouette d'une femme mince. J'ai réussi à la conserver pendant des années, notamment en faisant beaucoup de sport à l'époque où je vivais avec ma mère au Cloître. Mais attention, pas de la danse de salon, hein ? Du vrai sport : de la course à pied, de la natation, et même de l'aviron sur le Loir. J'étais devenue une véritable accro, et l'effort me grisait. Et puis, les événements de ces dernières années (dont je vais être amenée à vous parler) sont venus réveiller mes vieilles angoisses, et j'ai tout arrêté d'un coup. J'ai remplacé le footing par le fooding, et j'ai repris kilo après kilo.

À propos de dépression, vous parlez des somnifères que vous avez retrouvés dans les étagères de la pharmacie de Véra. Je connais bien ces méchantes pilules, moi aussi, et je comprends (ô combien) que vous en ayez besoin, mais méfiez-vous quand même de ne pas en abuser. Si vous me le demandez, je vous enverrai de nouvelles recettes de tisanes magiques qui font presque autant d'effet, je vous le promets !

Vous ne pouvez pas savoir comme je suis contente de vous lire et de vous écrire, Pierre-Marie. Même si c'est pour vous avouer les choses que je vous ai cachées, mon plaisir est intact. Et c'est évidemment à cause de la raison n° 6 : retrouver quelqu'un qu'on croyait perdu. Quand je vous ai envoyé ma grosse enveloppe kraft en février, je n'avais pas idée de l'importance que vous prendriez dans ma vie, même si contrairement à vous, je savais que nous étions liés, vous et moi, à nos corps défendant.

Avant d'aller plus loin, je dois vous avouer un premier mensonge important. Il ne concerne pas Mozart et mes *sanctus, sanctus*, car je chante en effet toute seule et à tue-tête, surtout les soirs où j'ouvre une bouteille. Non, ce mensonge concerne mon âge. Quand je vous ai dit que j'avais 34 ans, ce n'était pas seulement pour me rajeunir, ce n'était pas une pure coquetterie de ma part. La vérité, c'est que j'avais besoin d'effacer neuf ans de ma vie. Je vous laisse donc faire le calcul, et vous verrez qu'il suffit d'inverser les deux chiffres pour obtenir mon âge réel.

Ces neuf années que j'ai voulu supprimer contiennent toutes les réponses à vos questions banco et superbanco, notamment la plus importante de toutes : comment les lettres de Véra sont tombées entre mes mains.

Elles n'y sont pas « tombées », pour être franche.

Je les ai voulues, ces lettres ! Je les ai cherchées, et je les ai volées.

Comme vous, la première fois que j'ai tenu ce gros paquet devant moi, j'ai ressenti une peur effroyable. Mais comme vous également, je savais d'avance ce que j'allais y trouver, et que « ça » allait me terrasser. Cet instant reste daté dans ma mémoire, l'équivalent exact de votre séisme du 28 octobre 2010. Pour moi, c'était le 17 novembre 2009. Un mardi. C'était à Marseille, par un jour de mistral glacé qui avait chassé les nuages. Le ciel était limpide, le soleil éclatant. Je me souviens d'avoir trouvé ce ciel et ce soleil tellement déplacés… comme si les dieux se moquaient de moi, de ma douleur.

Dans le train qui m'a arrachée à Marseille ce jour-là, j'ai fait comme vous : j'ai survolé les quarante-sept lettres de Véra, mais je n'ai pas pu en lire une seule en entier, et j'ai pleuré de la gare Saint-Charles à la gare de Lyon. Je me souviens des regards que me jetaient les gens assis aux places voisines. Ils étaient terriblement gênés, mais pas un seul n'a osé m'adresser la parole. Celui qui s'y serait risqué, je crois que je l'aurais mordu.

Il y a tant à dire que j'ai la tête qui tourne.

Je fais une pause. Besoin d'un café serré : je vais aller le boire dans le petit bar PMU de Saint-Trojan où je me rends chaque matin. Puisqu'il ne pleut pas, je vais pouvoir m'installer en terrasse, et fumer quelques cigarettes en écoutant les conversations des autochtones. Savez-vous qu'ils carburent au pineau des Charentes dès 9 heures le matin ? Tant que je n'en suis pas là, il reste un espoir !

Bien, me voici de retour, prête à continuer cet indispensable détricotage. Mais tout de même, assise à ma terrasse de café tout à l'heure, j'ai réfléchi à quelque chose : en ce jour de votre anniversaire, est-ce bien judicieux de vous asséner mes vérités en bloc ? Franchement, je ne suis pas certaine que ce soit un cadeau.

Rassurez-vous, je ne recule pas devant l'épreuve. Je m'y prépare depuis les premières fois où vous avez enfin osé me parler de Véra dans vos mails. J'ai simplement besoin de savoir si vous êtes d'humeur, aujourd'hui, à lire tout ça.

Peut-être êtes-vous parti en promenade ? Je sais bien que la saison ne se prête plus aux raquettes de neige, mais je vous imagine volontiers marcheur et je ne voudrais pas gâcher cette journée.

Je vais donc vous envoyer ce début de confession (c'est ma façon d'être délicate), attendre votre feu vert et en profiter pour aller voir la mer. Vous ai-je dit que la fenêtre de ma chambrette donne dessus ? C'est un luxe que je déguste chaque jour, d'autant qu'elle est orientée à l'est. Hier, le lever du soleil était incandescent.

Trois choses quand même avant de vous laisser.

Premièrement, en brûlant les lettres de Véra, vous avez fait ce que j'ai eu envie de faire. Mais j'aurais eu l'impression de détruire quelque chose qui ne m'appartenait pas. Vous aviez autant que moi le droit d'en connaître l'existence.

Deuxièmement, je suis allergique aux huîtres. Ici, je mange des bulots et du poisson.

Troisièmement, pour vous raconter ce qui s'est passé au Cloître voici cinquante-quatre ans, il faudrait d'abord que je vous explique comment ma mère est morte, mais ce n'est pas la question super-banco. La question super-banco serait plutôt celle-ci : qui êtes-vous, Adeline ? Car, comme je vous l'ai déjà avoué à demi-mot, Adeline Parmelan n'existe pas sans cette autre Adeline, celle qui signe ce long message.

Adeline Pelletier

PS : Quel est votre plat préféré, Pierre-Marie ?

De : Pierre-Marie
À : Adeline

Le 7 mai 2013

Chère Adeline,

Vous savez la bonne nouvelle ? C'est que je vais pouvoir continuer à vous appeler Adeline.

Merci de m'avoir souhaité mon anniversaire. Non, pas de fête particulière autour de l'événement. Ce n'était pas un passage de dizaine ! Juste des coups de téléphone de mes petits-enfants et des cartes postales dans ma boîte aux lettres. J'aime surtout celles où les petits expéditeurs ont tracé à la règle et au crayon, puis effacé à la gomme les lignes qui les ont aidés à écrire droit. Ça plus quelques fautes d'orthographe bien choisies et je fonds.

Mon dimanche d'anniversaire s'est passé avec mon fils aîné, Nicolas, qui a l'immense qualité d'être un homme tranquille. Nous avons démonté mon ancienne terrasse en bois. Oui, je peux utiliser ma perceuse visseuse un dimanche puisque le premier voisin est à plus de cinq cents mètres et que d'autre part nos convictions religieuses ne nous interdisent pas de travailler ce jour-là. Sous les lames, nous avons retrouvé les objets perdus depuis trente-cinq ans, l'âge de Nicolas ou presque, des pièces de monnaie, bien sûr, des stylos, mais aussi des peignes, des boucles d'oreilles, des crayons, et surtout des éléments de jeux en quantité : des pions de toutes les sortes et de toutes les couleurs, des aimants, des perles, des cartes à jouer (*dans la famille musicien, je demande*), des petits couteaux de dînette en plastique. De temps en temps, Nicolas me disait *regarde, papa, je m'en souviens de ce truc*, et il me montrait un stylet d'ardoise magique. Moi aussi, je m'en souvenais. À midi, on a saucissonné dans la cuisine et bu une bouteille de Bordeaux. Oui, décidément ce fut un bon dimanche d'anniversaire.

Il me reste à poser la nouvelle terrasse, je le ferai à mon rythme, dans les jours à venir.

Cette question : *qui êtes-vous ?* je la gardais pour mon courrier suivant, mais vous m'avez devancé. Vous avez eu raison. Il faut bien que la lumière se fasse.

Je comprends ceci, maintenant, Adeline : nous ne sommes pas les héros de notre propre histoire.

Nous n'en sommes, vous et moi, que les seconds rôles. Les deux personnages principaux sont plus fous, plus romantiques, plus passionnés, en tout cas plus passionnants que nous. Ils ont été capables de s'aimer éperdument, de brûler leur vie, de se séparer (pourquoi ? je l'ignore), de se saborder, de se retrouver après vingt-sept ans et de tout recommencer. Ils ont été capables d'être là, avec vous, avec moi, puis de nous quitter, de disparaître, ils ont été capables d'être cruels avec nous. Ils ne sont pas raisonnables. Les héros ne sont pas raisonnables. Ils ne peuvent pas se satisfaire de tisanes (pardonnez-moi) ni du Jeu des 1 000 euros à 12 h 45 ni du tic-tac de l'horloge quand les enfants ont quitté la maison. Il leur faut le feu et la déraison. Nous nous sommes trouvés sur leur passage, ils nous ont considérés, un peu, l'espace de quelques années, et ils se sont détournés de nous. Nous les aurons regardés passer dans nos vies.

Il nous reste à réparer nos blessures. Mais j'ai toujours aimé réparer : les jouets cassés, mes pages mal écrites, les amitiés malmenées. Vous aussi, qui êtes familière des mots et des maux, vous la consultante. Et il est temps que vous appliquiez vos bienfaits à vous-même, non ?

Ce que je voudrais savoir encore, me demandez-vous ? Que vous faut-il encore *détricoter* pour moi ? Pas grand-chose. Il me semble que je connais l'essentiel, désormais. Lorsque je lis un roman, je déteste qu'aux deux tiers l'auteur commence à démêler le pourquoi du comment. Ça me donne l'impression que la récréation est finie, ou le voyage, qu'il a frappé dans ses mains et qu'il commence à nous expliquer au tableau noir les jeux auxquels nous avons joué et les paysages que nous avons vus. Et il en défait le charme.

Mais tout de même :

Combien de temps avez-vous été mariée à cet

homme ? Avez-vous vécu au Cloître avec lui ? Et votre mère dans tout ça ? Et pourquoi ce *pourquoi* à la place du *parce que* dans votre courrier du lundi 4 mars. Vous écrivez : ... *je suis allée me faire belle. Pour moi, c'est une épreuve,* pourquoi *je me juge moche, même si certains et certaines s'évertuent à me démontrer le contraire.* C'est un italianisme, une faute (la seule) que commettait Véra. En la lisant, j'ai eu un choc émotionnel, comme si Véra était brusquement réapparue devant moi et m'avait dit, tête basse et avec son accent délicieux : *je suis revenue pourquoi tu me manques trop.*

À vous de choisir ce que vous voulez bien me dire là-dessus. Et comment vous voulez me le dire. Peut-être y avait-il aussi dans ces quarante-sept lettres de Véra quelques lignes que je devrais connaître ? Maintenant qu'elles sont brûlées, c'est vous qui en êtes la mémoire.

Je vous embrasse.

Pierre-Marie

(83 kg, c'est vingt-trois de moins que moi, vous ne m'impressionnez pas.)

De : Adeline
À : Pierre-Marie

Le 9 mai 2013

Cher Pierre-Marie,

J'ai reçu votre message comme on reçoit un bonbon. Je l'ai posé sur ma langue, et je l'ai laissé fondre doucement durant toute la journée d'hier, au gré de mes promenades.

Le goût en était tantôt sucré, tantôt amer, changeant comme le ciel. Vos mots m'ont accompagnée à travers la pinède pleine de genêts en fleur, et sur les dunes herbeuses qui bordent la Grande Plage, le long de la côte ouest de l'île. Tandis que j'assistais au spectacle des cerfs-volants et à une course de chars à voile, je vous imaginais en train de bricoler votre terrasse. Vous avez sans doute raison, nous ne sommes pas assez flamboyants, pas assez fous, pour devenir des héros de roman. Vous, avec votre perceuse visseuse, moi avec mon vélo rouillé. Vous, en archéologue amateur, avec vos petits trésors en plastique, et moi en vagabonde solitaire, alourdie de regrets, perdue au milieu des vacanciers de la zone C. Nous manquons considérablement de panache ! Et pourtant, Pierre-Marie, je nous aime bien ! Je serai si triste le jour où nous devrons nous quitter.

Combien de temps nous reste-t-il, à vous et à moi, pour partager ce qui nous reste à partager ?

Le ton que vous employez me rend mélancolique, comme si nous étions arrivés au bout du chemin. C'est votre douceur, en fait, qui me donne du vague à l'âme. Vous ne semblez pas fâché contre moi, ni contre quiconque. Vous semblez fatigué, et je redoute de vous fatiguer davantage en remuant cette vase où Vincent et Véra nous ont plongés.

Alors, depuis ce matin, je cherche quelque chose de flamboyant et d'héroïque à vous écrire. J'aimerais tant vous éblouir, vous électriser encore ! Mais pour ça, il faudrait que j'invente, or, même si vous semblez définitivement préférer la fiction à la réalité, je vous ai promis de ne plus mentir.

J'ai rencontré Vincent en 2003. Les circonstances, vous les connaissez déjà : je vous les ai racontées, à contretemps, en déguisant Vincent sous les traits d'un Romain de 1,95 m qui n'existe pas. Il n'y a jamais eu de banquier dans ma vie, mais le reste est strictement exact. Vincent était le frère (il l'est encore) d'une amie que je fréquentais à l'époque où je vivais au Cloître avec ma mère. La soirée minable où j'ai fini au milieu des Mickey en peluche s'est déroulée telle que je vous l'ai décrite, et la suite également. Des souvenirs vieux de dix ans.

Ce que je n'ai pas eu le temps de vous dire, c'est qu'après la soirée au théâtre, après le dîner chez moi, Vincent est entré pour de bon dans ma vie.

Vincent était un type bien. Il savait écouter, il prenait le temps de comprendre qui était la personne en face de lui.

En face de lui, à l'époque, il y avait une femme de 33 ans, grande, brune, une ancienne grosse devenue sportive, une ancienne dépressive devenue sereine, et prête à reprendre le cours de sa vie après neuf ans passés au Cloître.

Il avait 46 ans, il travaillait dans un cabinet d'architectes à Paris. J'ai quitté ma mère pour la deuxième fois de ma vie, et je suis allée vivre avec lui, dans le 9e arrondissement.

Pendant les années qui ont suivi, nous n'avons eu qu'un seul sujet de discorde : l'enfant. Je laissais passer mes anniversaires, les uns après les autres, persuadée que je parviendrais à le rallier à ma cause avant qu'il ne soit trop tard pour moi. J'ai eu 36 ans, 37, 38. Mon ventre restait vide, uniquement habité par le fantôme de plus en plus pâle et lointain de Philémon.

Début 2008, alors que mon désir tournait à l'obsession, le cabinet d'archi où travaillait Vincent a gagné un concours pour un gros projet à Marseille. Il s'est jeté dans l'aventure avec un tel enthousiasme, Pierre-Marie ! Vous l'auriez vu m'expliquer qu'en devenant responsable de ce chantier, il était obligé de vivre la moitié du temps à mille kilomètres de chez nous ! Comment appelle-t-on cela, si ce n'est une fuite ?

D'après ce que j'ai compris en lisant les lettres de Véra, ils se sont revus à la fin de cet été-là. Qu'ils se soient retrouvés par hasard ou pas, peu importe. Il n'y a pas de hasard, mais des occasions.

L'année 2009 a été mon cauchemar. Vincent prolongeait ses séjours marseillais, oubliait de rentrer certains week-ends, et j'ai compris qu'il me trompait. Au moins, dans votre aveuglement, vous avez échappé à ça, Pierre-Marie : à l'humiliation de vous transformer en fouine. Moi, j'en suis devenue une. Un animal nuisible, qui creuse dans la vie de l'autre et se nourrit de ses saletés. Jusqu'à ce jour où j'ai volé les clés du pied-à-terre que Vincent louait à Marseille. J'avais la certitude, ce jour-là, qu'il était retenu à Paris, et c'est moi qui ai pris le train.

Je suis revenue le soir même avec le paquet de lettres. Je suis rentrée chez nous, j'ai remis les clés dans la poche de la veste où je les avais prises, et je me suis retrouvée seule devant le miroir de notre armoire de chambre, défaite et sonnée. Mon reflet m'a renvoyé l'image d'une femme vieillie, enlaidie par la jalousie, épaisse et triste. Avant que Vincent ne me découvre dans cet état, j'ai mis quelques affaires au fond d'un sac, planqué les lettres au milieu, griffonné un mot, et je suis partie en voiture vers le seul refuge que je connaissais : Le Cloître. Les jupes de ma mère. Encore.

Il était une heure du matin quand j'ai débarqué. Comme en 1994, ma mère m'a accueillie sans poser de questions. Elle a passé une robe de chambre, ranimé le feu dans la cheminée, puis elle m'a offert un verre de schnaps, un deuxième, un troisième… Elle a mis de la musique, et elle m'a laissée pleurer sur le canapé. Je n'ai pas pu prononcer un mot. La seule chose que j'ai réussi à faire, c'est à sortir les lettres de mon sac. Je les ai jetées en tas sur la table basse, et, ivre morte, je suis partie m'effondrer sur un lit.

Le lendemain, les lettres n'étaient plus sur la table. Quand j'ai demandé à ma mère où elle les avait rangées, elle a simplement désigné le tas de cendres dans la cheminée. En matière de chagrins d'amour, ma mère avait eu son lot. Et elle ne m'avait pas mise au monde pour me voir m'enfoncer des clous sous les ongles.

Oh Pierre-Marie, en vous balançant tout ça par mail, j'ai la désagréable impression de vous infliger une torture. Je ferais sans doute mieux de me taire, de vous laisser à votre terrasse, à votre Jeu des 1 000 euros, à votre fils si calme, à votre chat aventureux. La seule raison qui me pousse à continuer n'est pas très honnête : j'ai besoin de vous retenir.

Certes, je vous dois la vérité, mais quel prix êtes-vous prêt à mettre pour l'entendre ? Quel prix accordez-vous à une femme de 43 ans qui fait le deuil définitif de la maternité, seule sur l'île d'Oléron, en attendant de se délester d'un cloître où elle ne veut pas finir comme sa mère ? En quoi cela vous concerne-t-il, finalement ?

Votre question à propos de la faute de français qui s'est glissée dans l'un de mes messages me désole. Je comprends ce coup au cœur qui vous a fait tressaillir. Je comprends quelles idées folles sont passées dans votre esprit à cet instant ! Mais ce n'était rien d'autre qu'une erreur, Pierre-Marie. Une scorie, peut-être. Ou bien, puisqu'il n'y a pas de hasard, ai-je été imprégnée du phrasé de Véra au point de faire la même faute qu'elle ? Car, bien sûr, ma mère n'avait pas brûlé les lettres, sinon, comment vous les aurais-je envoyées ? Il a fallu qu'elle meure pour que j'apprenne ses secrets. Il a fallu qu'elle meure pour que je découvre votre existence, vos livres. Il a fallu qu'elle meure pour que je devienne, l'espace d'un instant, votre amie.

Puis-je, malgré tout, le rester encore un peu ?

Je vous envoie quelques grains de sel d'Oléron, Pierre-Marie : de celui qu'on trouve au bord des marais, mais aussi au bord des paupières, certains soirs, quand la lumière du couchant enveloppe les choses d'une douceur insupportable.

Faites attention à vos doigts, un mauvais coup de marteau est vite arrivé. Et écrivez-moi.

Votre Adeline

De : Pierre-Marie
À : Adeline

Le 11 mai 2013

Chère Adeline,

N'ayez crainte, je n'utilise pas de marteau, je visse.

Vous écrivez bien Adeline, au point que quelquefois je me demande qui est l'écrivain de nous deux !

Vos *mensonges*, sur votre âge, sur votre passé, n'en sont pas, pour moi. Ils sont des habits que vous avez endossés un instant pour les besoins de notre histoire. Vous avez remis les vôtres, à présent, mais c'est bien vous qui êtes dessous et vous êtes inchangée. Et vous n'avez pas touché à l'essentiel : Philémon et votre mère.

Car ces deux-là, l'une qui a pris soin de vous pendant quarante-deux ans, et l'autre dont vous avez pris soin pendant dix-sept jours, l'une qui vous a recueillie deux fois alors que vous étiez dans la détresse, et l'autre qui a tenté de vivre pendant dix-sept jours avant de vous laisser presque aussi morte que lui, ces deux-là restent les étoiles de votre vie, les seules, en vérité, n'est-ce pas ?

Je regrette votre banquier, bien sûr. Il m'a bien fait rire ! Votre frère Cédric m'a moins plu. Existe-t-il vraiment, au fait ? Puisque nous en sommes au jeu de la vérité, il m'a semblé que vous aviez un peu chargé la barque à propos de ce week-end de Pâques calamiteux. J'ai eu un doute, je l'avoue, avec cette succession de catastrophes qui me faisaient penser au canard de Robert Lamoureux, vous savez, celui qui était *toujours vivant*. Mais qu'importe, j'aime qu'on me raconte des histoires, et si elles sont bonnes, alors elles deviennent plus vraies que les vraies, elles résistent mieux à l'oubli, en tout cas. C'est ainsi qu'on réinvente son passé, je crois.

Les mensonges de Véra, en revanche, loin de me ravir, me blessent. Vous dites que je ne suis fâché contre personne. Si, je le suis contre elle.

À ce propos, j'ai achevé ce que j'avais commencé en brûlant les lettres : j'ai jeté à la poubelle de mon ordinateur la photo que vous m'avez envoyée. Et j'ai vidé cette poubelle. Mon ordinateur, qui s'en voudrait de commettre un acte irréparable, m'a demandé : *Voulez-vous vraiment vider ce fichier de façon permanente ?* Je l'ai remercié de ses scrupules et j'ai cliqué sur *oui*. Mais avant, j'ai observé cette photo une dernière fois. J'ai agrandi l'image en focalisant sur les deux silhouettes qu'on voit à l'arrière-plan, à droite, sous les arcades, cette femme en manteau beige et cet homme grand qui la tient par les épaules. Plus on se rapproche et plus l'image se brouille. On ne peut pas être sûr. Et pourtant on est sûr. On entendrait presque les paroles qu'ils échangent et le bruit de leurs baisers. Je me suis dit que je n'avais rien à faire là, dans leur intimité, que cela ne me regardait plus. Et j'ai cliqué sur *oui*. Oui *vraiment*, oui *de façon permanente*. Faites la même chose, Adeline. Laissons-les tranquilles.

Et s'il nous faut repenser à eux tout de même, alors ce pourrait être en les créditant au moins de ceci, qui n'est pas rien : ils nous ont permis de nous rencontrer, vous et moi. Ce ne serait jamais arrivé sans eux. Ni sans votre mère. Parce que je suppose que c'est elle qui vous a indiqué que Véra était la femme d'un *grand écrivain*.

J'ai fini ma terrasse hier. Elle est bien réussie et je suis fier de moi. Je vais pouvoir m'en vanter dès cet après-midi puisque Nicolas arrive pour le week-end avec sa femme (aussi tranquille que lui) et leurs quatre enfants (oui, tranquilles, comment l'avez-vous deviné ?). Comme il fait un temps d'octobre ici, je vais leur faire une harira. C'est une soupe marocaine bien relevée avec des petits morceaux d'agneau et dix légumes différents. Ils adorent ça, même les petits. J'aime le bruit que fait la lame du couteau en tranchant le poireau, le céleri ; l'odeur de la viande qui rissole ; le parfum des épices et le *blop blop* du tout qui mijote longtemps. Tiens, allons-y pour la septième raison de trouver que la vie est belle : cuisiner pour des gens qu'on aime en prenant son temps et en écoutant la radio.

Dites-moi ce qu'il vous reste à me dire, Adeline, mais ne vous tourmentez pas. Racontez-moi encore votre île et profitez d'elle.

Pierre-Marie

De : Adeline
À : Pierre-Marie

Le 14 mai 2013

Cher Pierre-Marie,

Coup de blues terrible à la réception de votre message, samedi.

Coup de blues en vous imaginant à la place du *pater familias*, heureux comme un pape, trônant au bout de cette joyeuse tablée, vous versant un dernier verre de Boulaouane, si fier d'avoir mis au monde ce grand fils tranquille et ses quatre beaux marmots, et encore plus fier de les avoir tous régalés.

L'image m'a fait de l'effet ; j'ai mis trois jours à la digérer.

Depuis des semaines, notre fréquentation épistolaire entretient chez moi une illusion. Mais la vérité m'a sauté à la gorge lorsque j'ai lu votre mail : je n'étais pas (et ne serai sans doute jamais) invitée à votre table. Cette évidence m'a renvoyée dans mes cordes, et vous avez raison de m'inciter à *imaginer le reste de ma vie*. C'est-à-dire, ma vie sans vous. Ma vie *après* vous.

Mes deuils s'accumulent : que va devenir Adeline Pelletier sans Vincent Pelletier ? Que va devenir Adeline Parmelan sans Viviane Parmelan, et sans son cloître ? Que va devenir Adeline sans Pierre-Marie ?

Vous, même sans Véra, vous n'avez pas la nécessité de tout réinventer. Votre vie est bâtie sur un socle solide et une terrasse toute neuve ; la mienne sur du sable.

Je n'écrirai jamais aussi bien qu'à vous, je le sais. Si je trouve du plaisir à taper les phrases, à chercher mes mots, c'est uniquement parce que j'ai la certitude que vous allez les lire (points de suspension) et me répondre ! Alors que pour un véritable écrivain, dites-moi si je me trompe, le destinataire importe peu. La pratique de l'écriture est proche de l'onanisme, non ?

Il me faudra donc trouver autre chose pour donner un sens aux années à venir. J'ai des pistes, notez : la chorale, la danse, les tisanes, la méditation, une forme de spiritualité, toutes ces petites choses dont je vous ai parlé, et dans lesquelles j'entrevois un apaisement.

L'amour ?

Les hommes ?

Oui, bien sûr, je ne fais pas une croix dessus, mais pour l'instant, j'ai trop peur de retomber dans mes propres pièges.

Du jour où j'ai su que Véra existait, je suis devenue obsédée par l'idée de la voir : il fallait que je sache à quoi elle ressemblait. Était-elle brune, comme moi, ou ce genre de beauté blonde qui me hérisse les poils ? Était-elle grande et baraquée, ou bien fine et fragile comme une poupée ? Ses yeux, ses cheveux, sa démarche, son âge, je voulais tout connaître de l'adversaire.

J'ai pris la photo en février 2010, à Lyon, où Vincent et Véra avaient l'habitude de se retrouver. Le nom de l'hôtel figurait dans les lettres, et je n'avais pas eu besoin de le noter pour m'en souvenir. Je ne sais pas combien d'heures j'ai passé au coin de cette rue, cachée dans ma voiture. Les câbles du tramway, le rail, les réverbères, aujourd'hui encore, je pourrais dessiner le plan exact des lieux.

C'est là que je les ai vus ensemble. Vincent avec Véra. Véra avec Vincent. J'ai zoomé, j'ai appuyé sur le bouton, et ils ont disparu à l'intérieur de l'hôtel. Je n'avais pas réfléchi à ce que j'allais faire après ça. Les suivre ? Fracasser la porte de leur chambre pour les surprendre ? J'étais sonnée et complètement vide.

J'ai démarré ma voiture, et j'ai conduit le reste de la nuit, sans m'arrêter. Plusieurs fois, j'ai eu envie de donner un coup de volant, mais quand je suis arrivée à Paris, j'étais entière et un peu dégrisée.

J'ai eu honte d'avoir pisté Vincent. Tellement honte, Pierre-Marie ! J'ai laissé la photo dans mon ordinateur, comme un rappel à l'ordre. Tant que je ne m'en servais pas, j'avais l'impression de maîtriser la folie qui me guettait.

La dernière fois que j'ai vu Vincent, il avait trois valises à ses pieds. Il m'a dit qu'il partait en voyage, qu'il ne rentrerait plus, et qu'on aviserait plus tard pour l'appartement. J'étais vaincue depuis des mois, mais là, je suis restée sur le carreau pour de bon.

Il avait pris son passeport, évidemment. Contrairement à vous, je n'ai pas pu faire semblant d'ignorer qu'il avait choisi de tout laisser derrière lui pour vivre avec une autre, loin de moi. Où et comment ? Je l'ignore toujours. Car comme vous, j'ai attendu un signe qui n'est jamais venu. Les premiers temps, je guettais ses factures de téléphone, ses relevés bancaires, mais aussi fou que cela paraisse, ils ne contenaient aucun indice. Pas de dépense, pas d'appel, pas de dette, rien.

Quand vous m'avez avoué les détournements d'argent de Véra, j'ai compris à quel point ils s'étaient organisés. Avec une somme pareille, ils ont pu reconstruire quelque chose, vous ne croyez pas ? Dans une île peut-être, une hutte au bord de l'océan Pacifique ? Vincent rêvait souvent d'une vie sauvage.

De temps en temps, pour m'extraire de cette longue torpeur où je m'engluais, j'allais passer le week-end avec ma mère, au Cloître. Elle me tirait les cartes. Dedans, elle ne le voyait jamais revenir.

C'est elle qui m'a transmis ce goût pour ces étranges savoirs : l'astrologie, les cartes, les rêves. Elle disait que toutes les clés sont bonnes pour accéder à la douleur de l'autre, et l'aider à s'en sortir.

Elle est morte le 9 octobre dernier, après une chute dans l'escalier de sa cave. Sa tête est venue heurter un coin de mur, et d'après le médecin, elle n'a pas repris conscience. C'est mon frère Cédric qui l'a trouvée, et qui m'a appelée.

Cet hiver, j'ai passé des semaines à mettre de l'ordre dans l'immense fouillis qui s'amasse tout au long d'une vie. J'ai brûlé beaucoup de paperasse dans la cheminée. Chaque fois que je faisais une flambée, les larmes débordaient, et je ne savais plus vraiment sur qui je pleurais : sur ma mère, sur Vincent, sur mon père, sur Philémon ?

Juste avant Noël, j'ai trouvé le paquet de lettres. Savez-vous où ma mère l'avait caché ? Entre deux livres de vous : *Le Château des brumes* et *La Dérive*. Peu à peu, j'ai compris que le Pierre-Marie dont parlait Véra était le Pierre-Marie des couvertures, et c'est comme ça que je suis passée des lettres à vos romans, enchaînant les lectures dans un état second. Ma mère avait souligné certaines de vos phrases, dessiné des accolades en marge, gribouillé de mystérieux points d'exclamation ou d'interrogation. Cherchait-elle à retrouver Vincent et Véra entre vos lignes ? Je ne sais pas. Mais moi, plus j'avançais, plus le lien entre nous me troublait, plus j'avais besoin de partager avec vous – en direct – cette douleur que nous vivions chacun de notre côté.

Une douleur se partage-t-elle, Pierre-Marie ? La mienne, en tout cas, a perdu de son pouvoir de nuisance à mesure que nous nous écrivions. Remplacée, peu à peu, par le plaisir de faire votre connaissance, elle n'est plus grand-chose à présent. Et je vous le dis tout net, la seule personne que j'ai peur de perdre désormais est le mari de la femme qui est partie avec le mien. Vous trouvez ça tordu ?

Oui, probablement.

Je ne peux pas finir ce courrier sans vous dire que quelqu'un d'autre est mort dans la cave de cette maison humide, il y a cinquante-quatre ans. C'était le petit frère de ma mère. Avant Odette, la vieille originale dont je vous ai parlé, personne n'avait jamais mentionné devant moi son existence. Les photos où il figurait ont été détruites par ma grand-mère. D'après les articles parus dans les journaux de l'époque, il était descendu pour jouer avec les outils entreposés au sous-sol. Et puisque les fantômes finissent toujours par remonter des profondeurs, je vous laisse deviner quel était son prénom.

Il est tard et j'ai mal à l'estomac, suite à un abus de pineau avec la dame de la chambre d'hôtes. Mireille, elle s'appelle. Je vous parlerai d'elle ces jours prochains si vous le souhaitez et si vous avez envie de rire un peu.

Je vous embrasse.
Votre Adeline

~

De : Pierre-Marie
À : Adeline

Le 14 mai 2013

Chère Adeline,

Je me giflerais ! Le premier âne venu aurait été plus avisé que moi. Me réjouir devant vous de ma belle tablée familiale alors que vous extirpez toute seule et tristement vos bulots de leur coquille avec votre petite fourchette spéciale, et si ça se trouve peut-être même avec un simple cure-dents ! Quelle maladresse ! Je vous demande de me pardonner.

Sachez tout de même (j'essaie de me rattraper) que ces repas familiaux autour d'un grand plat généreux sont pour moi devenus l'exception. Mon ordinaire, depuis deux ans et demi, se compose plutôt d'une boîte de sardines et d'un yaourt, avec pour seule compagnie celle de mon chat arrogant.

Vous avez une drôle de conception de la pratique de la littérature. Non, je n'écris pas pour moi. Si je n'étais pas publié, je n'écrirais pas un seul mot (sauf à mon amie Adeline). Un chapitre de roman réussi et une soupe harira, c'est la même chose : un cadeau que j'essaie de faire à ceux qui liront ou qui mangeront. J'essaie juste d'avoir un peu de talent pour les *régaler*.

À propos de talent, je maintiens mon jugement sur vous, ne vous en déplaise ! Quelqu'un qui peut écrire : *j'ai peur de perdre le mari de la femme qui est partie avec le mien* ne doit avoir de complexe littéraire vis-à-vis de personne. Ça m'a fait penser à la chanson de Brassens *À l'ombre des maris* qui m'enchante à chaque fois. J'ai ri, donc, et puis j'ai pensé à ce que ça signifiait vraiment et j'en ai eu la gorge serrée. Moi non plus, je n'ai aucune envie de vous perdre, Adeline. Et pourquoi nous perdrions-nous ? Nous avons partagé nos secrets sans trop de dommages. Nous avons ouvert nos placards, nos caves (il s'appelait Philémon, le petit frère de votre maman, n'est-ce pas ?), nous avons creusé la terre de nos jardins pour en faire remonter des choses enfouies. Mais rien ne semble pouvoir contrarier notre complicité. C'est comme si notre bonne entente était capable de tout absorber.

Après-demain jeudi arrivent mes jumelles de Bergen. Je vais les accueillir à l'aéroport de Lyon. Elles seront là pour une semaine, mais j'aurai du temps pour vous, n'ayez crainte.

Votre Pierre-Marie

~

De : Adeline
À : Pierre-Marie

Le 15 mai 2013

Pierre-Marie,

Un mot en catastrophe, c'est le cas de le dire : j'ai dû remonter à Paris fissa hier soir, contactée par la gardienne de l'immeuble. Il y a un dégât des eaux chez moi, une horreur. Je patauge depuis ce matin, et les voisins du dessous sont furax, ils venaient à peine de repeindre leur salon. Autant vous le dire, je suis « débordée » !! J'essaie de régler l'urgentissime au plus vite, et pour l'urgent, on verra après. Je déteste ce genre de trucs. C'est exactement *maintenant* que j'aurais besoin de joindre Vincent. Quel con !

Ai-je votre soutien à distance ? C'est stupide, mais là, j'ai besoin d'avoir un homme (même virtuel) dans ma vie !

Je vous embrasse.
Votre poule mouillée d'Adeline

De : Pierre-Marie
À : Adeline

Le 15 mai 2013

Chère engloutie,

Eh oui, les hommes manquent terriblement quand on n'arrive pas à ouvrir son bocal de cornichons, ou pire son pot de belle gelée de coings.

J'aimerais vous aider, mais je ne suis pas très compétent en dégâts des eaux. Je sais les provoquer mais pas les arrêter. À tout hasard : coupez l'arrivée principale et appelez du secours (mais attention, les plombiers sont dragueurs).

Courage !
Pierre-Marie

~

De : Josy
À : Pierre-Marie

Le 16 mai 2013

Pierre-Marie,

Aujourd'hui est un drôle de jour, c'est sans doute pour ça que je trouve enfin le courage de t'écrire. Je viens de laisser Max dans sa chambre, au CHU, badigeonné de Bétadine jusqu'au cou, et pas très rassuré. Il a tellement morflé pour la première hanche, le pauvre. J'ai voulu rester là-bas pour être sûre qu'il ne soit pas seul quand il rouvrira les yeux, mais il a insisté pour que je rentre à la maison. Tu sais ce qu'il m'a dit ? *Tu ne peux pas vivre ça à ma place. Si j'ai peur ou si j'ai mal, tu n'y peux rien. Fais ce que tu dois faire de ton côté.*

Sur le coup, ça m'a un peu vexée. Je sais bien que ce n'est pas moi qui passe sur le billard ! Tout ce que je voulais, c'était partager ce moment douloureux avec lui, pour l'aider. C'est mon rôle d'épouse, non ?

Bref, je suis rentrée à la maison, toute seule, et d'une humeur bizarre, et je me suis demandé ce que Max avait voulu insinuer en me disant de « faire ce que je dois faire ». Le frigo est plein à craquer, la maison nickel, les factures réglées, et il pleut tellement depuis des jours que je n'ai pas besoin d'arroser le jardin, alors quoi ?

Je me suis assise sur le fauteuil à bascule, dans la véranda, et j'ai réfléchi. C'est là que j'ai pensé à toi, Pierre-Marie. T'écrire : voilà ce que je « dois » faire depuis des semaines ! Et aussi, écrire à Lisbeth. Parce que, même si ça ne te plaît pas, vous êtes tombés dans le même panier, l'un et l'autre, avec cette histoire. Vous, deux vieux amis de toujours, avec qui j'ai réussi à me fâcher.

Quand cette évidence m'a sauté au nez, je peux te dire que je suis restée au moins une heure sans bouger, dans mon fauteuil à bascule, à regarder la pluie dégouliner sur les vitres de la véranda. J'avais l'esprit vide, comme si c'était à moi qu'on avait administré une anesthésie. Et d'un coup, je me suis levée, je suis allée allumer l'ordinateur et voilà : c'est par toi que je commence.

Je n'ai d'ailleurs pas beaucoup de mots à t'écrire. Ce que j'ai sur le cœur tient en quelques phrases :

1- Je te demande pardon.

2- Tu as eu raison de me rappeler que je n'ai pas le pouvoir de commander la vie des autres, et encore moins leurs sentiments.

3- Cet été, si Max est d'aplomb, je pense qu'il aimerait bien passer quelques jours chez toi, sans moi. Il ne me l'a pas dit aussi directement, mais je l'ai senti. Il a besoin de son plus ancien camarade. Et de prendre l'air loin de son pot de colle !

De mon côté, j'en profiterais bien pour rendre visite à Céline, sans lui, vu qu'il ne sera pas en mesure de supporter les onze heures d'avion jusqu'à Mayotte. (Oui, après la Martinique et la Guyane, elle prend un poste là-bas dans deux semaines.) Ça me plairait de passer du temps avec ma grande, en tête à tête. Depuis qu'elle vadrouille autour du monde, je ne l'ai jamais fait !

Je m'en tiens là pour aujourd'hui, mais j'espère que tu mesureras l'effort que représente un courrier pareil pour une tête de mule dans mon genre.

Je vais écrire à Lisbeth dans la foulée. Et promis, j'arrête de tout mélanger.

Si tu veux, je t'enverrai un petit mot demain pour te donner des nouvelles de Max ?

J'espère que tu vas bien et que l'herbe de ton jardin n'est pas aussi haute qu'ici (impossible de tondre avec ce déluge).

Je t'embrasse vraiment.
Josy

~

De : Pierre-Marie
À : Josy

Le 16 mai 2013

Ma chère Josy,

S'il n'y avait pas notre bon Max sur son lit de douleur (dès qu'il se réveille, embrasse-le fort de ma part), ce serait une journée idéale, une de ces journées où tout va bien : les nœuds se défont, les nouvelles sont bonnes, le cœur est léger.

Je pars dans un quart d'heure pour Saint-Exupéry où je récupère les jumelles, ce qui suffirait déjà largement à mon bonheur du jour. J'adore être avec elles et voir les gens se retourner sur ces deux belles plantes qui parlent français comme toi et moi, mais passent au norvégien entre elles. Et quand elles se mettent chacune d'un côté et me prennent le bras, je peux te dire que je suis aussi fier que Brad Pitt descendant les marches à Cannes.

Et maintenant, cerise sur le gâteau, enfin sur l'omelette norvégienne : ton mail.

Bon, Josy, on ne va pas se faire le coup du *je te demande pardon non c'est moi non c'est moi*. Est-ce que je résume bien en disant qu'on s'est payé un drôle de court-circuit. Le courant passait bien entre vous deux, je veux dire entre Lisbeth et toi, il passait aussi très bien entre nous deux, je veux dire entre toi et moi, mais la connexion à trois a franchement merdé. On a dû mélanger des fils. Le mieux, à mon avis, c'est de ne plus en parler pendant quelques années, jusqu'à ce qu'on soit capables d'en rire.

En réponse à tes trois phrases :

1) Je te pardonne de bon cœur et je te demande aussi de me pardonner.

2) Personne ne commande aux sentiments des autres. Parfois j'ai l'illusion de pouvoir le faire avec mes personnages, mais figure-toi qu'ils ont aussi leur caractère et qu'ils peuvent très bien m'envoyer me faire voir.

3) Oh oui ! je serai sincèrement heureux d'avoir Max tout seul ici cet été. J'imagine déjà tout le mal

qu'on pourra dire des femmes en général et de toi en particulier, en toute impunité !

Allez, je file si je ne veux pas rater les filles.

Je t'embrasse.
Pierre-Marie

~

De : Adeline
À : Pierre-Marie

Le 16 mai 2013

Cher Pierre-Marie,
Non, le plombier n'était pas dragueur. Seulement roumain ou albanais, je n'ai pas bien compris. En tout cas, il a remplacé la canalisation défectueuse dans la cuisine, et c'était tout ce que j'attendais de lui. Quant à moi, j'ai essoré ma dernière serpillière hier à 23 heures, puis je me suis écroulée sur le canapé, où j'ai dormi en position fœtale jusqu'au premier chant de l'oiseau parisien, à savoir l'automobiliste impatient (*Connardus véhiculum*) lançant son fameux coup de klaxon sur le boulevard.

En ouvrant l'œil, j'ai pris une décision devant laquelle j'hésitais encore : dès qu'il sera sec, je vais me débarrasser de cet appartement. C'est assez compliqué, car le bail est au nom de Vincent. Avez-vous, comme je l'ai fait, demandé un Certificat de vaines recherches concernant Véra ? J'attends ce fichu papier de la part du commissariat du 9e pour pouvoir entamer mes démarches. Je suppose que ce sera long et tortueux, et toutes ces tracasseries administratives m'épuisent par avance. Comme si je n'avais pas assez à faire avec le décès de ma mère, la vente du Cloître, les questions pressantes de mon frère, etc.

Je ne vais pas avoir le temps de vous écrire longuement aujourd'hui. Des sacs-poubelles remplis de choses molles s'entassent dans l'entrée, il faut que je les descende, et que je règle mes histoires d'assurance.

Pierre-Marie, puis-je vous poser à mon tour une question super-banco ? Je me souviens très bien de ce que vous m'avez écrit, il y a plusieurs semaines, lorsque l'autre Sarthoise (qu'est-elle devenue au fait ?) vous pressait de venir au Mans : « nous voir serait une erreur profonde. La magie entre nous, ce sont ces mots sur l'écran ». Aujourd'hui, à la lumière de tout ce que nous nous sommes avoué, pensez-vous toujours qu'une rencontre en chair et en os « déréglerait cette magie » ?

Je vous imagine très occupé par l'arrivée de vos jumelles norvégiennes, prenez le temps de réfléchir à ma question, et de me répondre.

Ah oui, j'adore les cornichons et la gelée de coings : d'une façon générale, tout ce qui se mange avec les doigts ou sur une tartine.

Je vous embrasse.
Adeline

De : Pierre-Marie
À : Adeline

Le 20 mai 2013

Chère rescapée,

Heureux de vous savoir au sec !

Non, je n'ai jamais obtenu ni même demandé ce si joliment nommé *Certificat de vaines recherches*. J'en comprends la nécessité pour vous, mais je ne peux pas m'empêcher de trouver cocasse d'avoir à prouver un échec. Est-ce que bientôt on verra les gens brandir leur Certificat de plantage au baccalauréat, ou leur Diplôme de mariage calamiteux, ou plus globalement encore leur Attestation de vie merdée ?

Je vous souhaite de surmonter vite et sans trop de dommages toutes vos épreuves administratives. Concernant votre appartement, ne soyez pas trop impulsive, un petit pied-à-terre à Paris n'est pas si désagréable (là, c'est le provincial qui parle).

Votre question super-banco me déstabilise. Oui, bien sûr, il est passé de l'eau sous les ponts (et dans votre cuisine) depuis le mois de mars, oui nous nous sommes confié des secrets bien gardés jusque-là, mais je crois que le moment n'est pas venu de nous rencontrer.

C'est la réaction spontanée que j'ai eue en lisant votre courrier jeudi. Depuis, j'en comprends les deux raisons.

La première, en effet, c'est que j'ai peur que nous cassions notre beau jouet. J'ai peur que nos voix, nos corps soient trop… présents, trop réels, qu'ils ne correspondent pas à ce que chacun de nous deux aimait dans l'autre. Et qu'il nous soit impossible ensuite de revenir en arrière et de nous retrouver intacts.

La seconde raison, c'est que nous sommes à la fin du mois de mai et que l'été va bientôt venir. En été, ma maison si souvent peuplée de fantômes s'anime et se remplit à nouveau. Il y a du passage, de la vie. Moins qu'autrefois, beaucoup moins qu'autrefois, mais ça y ressemble. Après ça, quand arrive septembre, le vide et le silence me poignent douloureusement. J'ai éprouvé cela deux fois déjà. Je redoute la troisième et j'avoue que je verrais venir les frimas et le passage à l'heure d'hiver d'un autre œil si j'avais, au début de cet automne, la perspective de rencontrer enfin Adeline la consultante, la confidente, la chanteuse de *sanctus*, la buveuse de schnaps, la championne des tisanes, la lectrice, la menteuse, l'inventeuse, la maman de Philémon bébé mort, la photographe nocturne, la voleuse de lettres, la femme dont le mari est parti avec la mienne, l'orpheline maintenant, la propriétaire d'un Zippo… (Là, je peux difficilement faire l'économie des points de suspension.)

Voilà ce que je pense, mais c'est bien égoïste. Si vous me dites que votre été à vous s'annonce désespérant, que vous allez mourir si nous repoussons notre rencontre à l'automne, alors je vous écouterai.

Dites-moi.

Pierre-Marie

PS : Mes jumelles dorment, lisent, font de la gymnastique et boivent mon bordeaux 2000. Je leur cuisine des blanquettes de veau et des pot-au-feu (ils n'en ont pas, à Bergen).

PS2 : Ah oui, à propos de l'autre Sarthoise, c'est elle

bien sûr qui m'a envoyé me faire f... Vous demandiez si je l'avais mérité. La réponse est oui.

~

De : Adeline
À : Pierre-Marie

Le 27 mai 2013

Cher Pierre-Marie,

À l'époque où j'exerçais encore mon métier de consultante, toutes sortes de gens passaient le seuil de mon cabinet. J'avais pris l'habitude de noter dans un carnet les premières impressions que me laissait chaque patient. Certains faisaient des entrées fracassantes (la porte n'a pas résisté aux plus nerveux), d'autres des entrées silencieuses, timides, en zigzags, ou sur la pointe des pieds. Je notais également les premiers mots qu'ils avaient prononcés ou la qualité de leur poignée de main. Je me souviens d'une femme de 70 ans, voûtée et frêle, qui m'avait broyé les doigts en s'exclamant « Bonjour ma Sœur ! », comme à l'époque du pensionnat.

La plupart de ceux qui venaient chez moi étaient souffrants, douloureux, perdus, et à la recherche d'un réconfort qu'ils ne trouvaient nulle part. Pour des raisons variées, ils n'arrivaient pas à faire coïncider les différents aspects de leurs personnalités, et il en résultait une cacophonie de gestes, de mimiques, de tics, et autres bégaiements. Leur corps, à leur insu, s'exprimait dans un langage limpide, et mon travail consistait en grande partie à rétablir la communication entre les parties pour qu'elles cessent d'être adverses. Et puis, il arrivait qu'un patient pénètre dans mon cabinet à cloche-pied, avec des béquilles, un plâtre ou une attelle. Je disais : « Tiens donc. Vous êtes tombé ? » On me racontait alors des marches loupées, des baignoires glissantes, des jouets d'enfants mal rangés, des précipitations pour sauter dans un bus, toutes sortes de coups du sort qui n'en étaient pas. Chuter, choir, flancher, trébucher, n'arrivait pas par hasard mais pratiquement toujours à un moment où les gens se trouvaient intérieurement privés de leurs repères, et déséquilibrés.

Si je vous raconte cela, Pierre-Marie, c'est précisément parce que j'ai raté une marche l'autre jour, juste après vous avoir écrit. Oui, oui, en descendant mes sacs-poubelles, et je me suis affalée devant la loge de la concierge en poussant un cri ridicule. Bilan : deux sacs crevés, des choses molles répandues, et un genou bien amoché. Si j'avais été une de mes patientes, je me serais regardée avec un sourire en coin et je me serais demandé quel genre de faux pas j'avais pu commettre, quel genre de « je-nous » se trouvait ainsi amoché. Malheureusement, je suis peu performante pour m'auto-consulter. Tout ce que je peux vous dire, Pierre-Marie, c'est que vous avez raison : il est trop tôt pour nous rencontrer, je ne suis pas davantage prête à franchir ce pas que vous ne l'êtes. Trop casse-gueule ! J'ai manifestement besoin de retrouver un équilibre qui, pour l'instant, me fait défaut, et je n'aurai sans doute pas trop de quatre ou cinq mois pour y parvenir. Quitte à passer un été triste, poussiéreux, solitaire, lacrymal, rébarbatif, administratif, ça n'a aucune importance ! Je ne réclame donc plus rien d'autre que ceci : continuons de nous écrire. Continuons ces échanges de petits caractères noirs, prolongeons ce plaisir au-delà du raisonnable, voulez-vous ?

Soyons, dans cet espace virtuel, aussi flamboyants et héroïques que Véra et Vincent l'ont été dans la réalité. Nous n'avons pas leur courage, mais nous avons tout de même pris une sacrée revanche : au regard de notre correspondance, les quarante-sept lettres qu'ils ont échangées ne pèsent plus grand-chose. Prenez soin de vous, et de vos incroyables jumelles de Bergen ! Prenez du bon temps, Pierre-Marie. Remplissez votre piscine, vos verres de bordeaux, et votre maison autant que vous le désirerez. Moi, je vais m'employer à l'inverse : vider l'appartement, vider Le Cloître, vider ma tête, vider mes rancœurs. Une fois légère, je trouverai une branche où me poser. Un endroit tranquille, sec, agréable, un endroit à moi où je me tiendrai fière et debout. Que penseriez-vous de Joyeuse, en Ardèche ? De Vivans, dans la Loire ? De La Force, en Dordogne ?

Je vous embrasse.
Votre éclopée

CINQ MOIS PLUS TARD

De : Adeline
À : Pierre-Marie

Le 9 octobre 2013

Pierre-Marie,

Je sais bien que vous êtes en déplacement à Francfort, mais avez-vous reçu, comme moi ce matin, cet appel de la gendarmerie ? Si oui, dites-moi comment vous avez encaissé ça.

Pour ma part, j'ai l'impression d'avoir basculé dans une autre dimension. Faites-moi signe à votre retour (demain soir, je crois).

Je vous embrasse en attendant très vite de vos nouvelles.

Adeline

PS : Pardon d'insister, mais quand même : aujourd'hui, 9 octobre, ça fait exactement un an que ma mère est morte. Quand je vous disais cet été que le chiffre 9 était récurrent dans ma destinée, maintiendrez-vous que j'affabule ?

De : Pierre-Marie
À : Adeline

Le 9 octobre 2013

Adeline,

Oui, j'ai eu la gendarmerie de Dieulefit, ce soir à 22 heures. Ils avaient essayé de me joindre pendant toute la journée mais mon portable était éteint. J'ai eu l'appel pendant le dîner avec mes hôtes allemands. Je me suis mis à l'écart pour répondre, et comme je n'étais pas revenu au bout d'un quart d'heure, ils sont venus voir ce qui m'arrivait.

Je suis sous le choc.

Dès que j'ai entendu le mot *Guyane* j'ai repensé à cette vision que j'avais de Véra et Vincent *quelque part au Venezuela*. Je n'étais pas loin. Mais j'associais cette image à des plages, à du farniente, à des terrasses de café, à de la musique, pas à une agonie dans la jungle.

Oui je rentre demain en France.

Je vous embrasse.
Pierre-Marie

De : Adeline
À : Pierre-Marie

Le 11 octobre 2013

Pierre-Marie,

Comment allez-vous ?

Je viens de passer deux heures au téléphone avec Béatrice, la sœur de Vincent. Ni elle ni moi ne parvenons à réaliser. Si au moins la gendarmerie était claire ! Avez-vous compris s'ils ont l'intention de faire des recherches pour retrouver les corps ? Je sais bien qu'après trois ans, il ne faut pas espérer grand-chose, mais quand même ?

Je suis submergée de sentiments contradictoires qui me donnent le tournis. Par chance, j'ai du carrelage à poser dans ma petite salle de bains. C'est la première fois que je me lance dans une entreprise pareille : pas sûr que le résultat soit d'équerre…

Je vous embrasse.
Adeline

~

De : Max
À : Pierre-Marie

Le 12 octobre 2013

Pierre-Marie,

Pardonne notre coup de téléphone « pas au bon moment ». Josy et moi, on a hésité à t'appeler, on se doute bien que tu dois être assailli de messages et d'appels depuis trois jours, mais on voulait quand même t'avoir en direct, même pour une minute. Dans ces circonstances, on voulait entendre ta voix et te faire entendre la nôtre.

Je suis tombé sur l'encadré dans le *Ouest-France* d'hier.

Si j'ai bien compris, ils ont retrouvé le carnet du pilote ? Et le nom de Véra était écrit à la main dessus avec ceux des autres passagers, c'est ça ?

Figure-toi que l'accident de ce petit avion de tourisme, eh bien on en avait déjà eu connaissance à l'époque, parce que notre Céline était justement là-bas, en Guyane, en novembre 2010, et qu'on était sans nouvelles d'elle depuis une quinzaine de jours. Alors du coup on consultait la presse locale sur Internet, et tu penses bien que quand ils ont évoqué la disparition en forêt de ce petit Cessna, on en est presque tombés dans les pommes. En fait, elle était en pleine forme et n'avait même pas entendu parler de l'accident.

Si on avait su qu'il y avait Véra dans ce putain d'avion…

C'est terrible d'apprendre ce drame, et d'imaginer sa fin à elle avec ses compagnons de malheur, dans cette forêt du bout du monde.

Si on peut faire quelque chose pour toi, dis-le-nous.

On suppose qu'il y aura peut-être une cérémonie, une messe quelque part, je ne sais pas. Si c'est le cas, Josy et moi, on voudrait bien y être avec toi.

On t'embrasse très fort tous les deux.

Max et Josy

~

De : Adeline
À : Pierre-Marie

Le 12 octobre 2013

Pierre-Marie,

Êtes-vous parvenu à dormir cette nuit ?

Moi non. Je vous l'avoue : j'ai entendu sonner chaque heure. Et chaque fois, j'ai pensé à vous et à vos avertissements : « Adeline, réfléchissez encore avant d'acheter cette maison si près de l'église ! Croyez-moi, ces foutues cloches font du *bruit* ! » Mais bizarrement, elles ne m'ont pas mis les nerfs en pelote. Elles m'ont tenu compagnie, doucement, tandis que j'essayais de me représenter la jungle guyanaise, le calvaire de Vincent, de Véra, et des cinq autres.

En vérité, je n'y arrive toujours pas. C'est trop loin. Ou trop cinématographique pour que je puisse y croire. Peut-être cela deviendra-t-il réel quand la gendarmerie nous fera parvenir les photos de la carlingue ? Je n'ai pas cherché sur Internet. Et vous ?

Je vous envoie une pensée depuis ma terrasse baignée de lumière. Plus ça va, plus je me félicite d'avoir choisi cet endroit. Je vais descendre vers Mercuès, tout à l'heure, et marcher le long du Lot. Ici, les aulnes et les frênes commencent à roussir.

Je vous embrasse.
Adeline

~

De : Pierre-Marie
À : Adeline

Le 12 octobre 2013

Adeline,

Je suis allé sur Internet et j'ai trouvé une photo de la carlingue. Le petit Cessna est pris dans les arbres, le nez pointé vers le sol, comme un jouet. Il est très crédible que dans ces conditions le pilote et les passagers aient tous survécu au crash, qu'ils aient réussi à s'extraire de la cabine et qu'ils soient partis en forêt pour chercher du secours. La suite, j'essaie de ne pas trop y penser.

Je vous embrasse.
Pierre-Marie

De : Adeline
À : Pierre-Marie

Le 13 octobre 2013

Pierre-Marie,

Vous m'avez écrit, une fois, que nous n'étions pas les héros de notre propre histoire. J'y repense souvent ces jours-ci, en me demandant si je préférerais être une héroïne flamboyante et morte, plutôt qu'une femme banale mais vivante.

À l'évidence, je préfère la deuxième proposition. Même sans enfants. Même sans mari. Même sans papa, ni maman.

Il n'y a qu'à vous que je peux écrire une chose pareille : malgré l'horreur des faits que nous venons d'apprendre, je continue de me réveiller chaque matin avec étonnement et un appétit intact pour la vie. Je me demande : que va-t-il se passer aujourd'hui ? En général, pas grand-chose, mais je me contente de peu. L'odeur du café, la couleur du ciel, une chanson à la radio.

Tenez, je vous offre ma surprise du jour : en continuant de déballer mes cartons, j'ai retrouvé le volume de votre *Mélodie du crépuscule* que je croyais avoir égaré. Je l'ai rangé à côté de l'exemplaire dédicacé que vous m'aviez envoyé, sur une étagère qui vous est désormais dédiée. J'aime l'idée de vous avoir près de moi, en double.

En échange, je vous envoie une double ration de bises.

Adeline

~

De : Oliver
À : Pierre-Marie

Le 13 octobre 2013

Cher Pierre-Marie,

La nouvelle s'est répandue comme une traînée de poudre dans les couloirs de la maison, tu l'imagines. Tu sais l'affection qu'on te porte, ici. Tout ce qui te touche nous touche.

À travers moi, c'est toute l'équipe du Songe qui t'adresse ses meilleures pensées.

Je veux te dire que je me rappelle avec émotion

quelques dîners délicieux passés chez vous. C'était toujours joyeux et détendu. Je nous revois beaucoup rire, à table, puis siroter notre cognac, toi et moi, en fin de soirée, dans le salon, tandis que Véra restait à parler dans la cuisine avec sa fille aînée (Gloria je crois ?). Je me rappelle aussi que les deux papotaient encore quand on allait se coucher à 2 heures du matin, et je trouvais ça charmant.

Je suis triste. Il restait une petite chance, une chance infime, qu'on la revoie, qu'elle réapparaisse un jour. Maintenant c'est fini.

Je ne sais pas dans quel état te plonge ce dénouement. L'imagination s'emballe dans ces cas-là, et d'autant plus quand il s'agit de circonstances aussi dramatiques.

Si tu as besoin de quoi que ce soit de la part du Songe, n'hésite pas une minute, et si tu as besoin de moi en particulier, n'hésite pas une seconde.

Je suppose qu'il y aura une rencontre avec les familles des autres victimes, pour que vous puissiez partager le deuil. Mais si parfois il y a une manifestation publique, un hommage, fais-le-moi savoir s'il te plaît. Je voudrais y être à tes côtés.

Reçois toute mon affection.

Je t'embrasse.
Oliver

~

De : Pierre-Marie
À : Adeline

Le 14 octobre 2013

Chère Adeline,

Avez-vous reçu le mail de cette madame Sallefranque dont le fils était dans l'avion ? Son idée de réunir les familles le 26 octobre à Nantes et d'y faire dire une messe me paraît pertinente puisque quatre des six victimes étaient de Loire-Atlantique. Ça ferait moins de route pour tout le monde. Sauf pour nous.

Après pas mal d'hésitations, je me suis décidé à faire le voyage. Malgré tout le ressentiment que j'éprouve à l'égard de Véra, je ne peux pas imaginer qu'il n'y ait aucune célébration. J'ai beau être aussi athée qu'une clef de douze, ça me heurte.

J'irai donc, et je me lèverai et m'assoirai docilement avec tout le monde, dans l'église. J'irai même jusqu'à esquisser un signe de croix. Si le prêtre est bon.

Et vous ? Irez-vous aussi ?

Je vous embrasse.

Pierre-Marie

PS : Je me suis livré hier à un petit jeu : j'ai mis à la queue leu leu tous nos courriers, depuis le tout premier, fin février, jusqu'à celui-ci. Savez-vous qu'à ce jour vous m'avez écrit 62 fois et que je vous ai écrit 61 fois ? Et si je demande à mon ordinateur le nombre de caractères que cela représente (on évalue comme ça le volume d'un texte dans l'édition), il me répond 852 640, ce qui équivaut à mon plus gros roman (*Comme le fleuve*). Votre courrier le plus long est celui du 4 mars. Le mien celui du 10 mars. Votre courrier le plus bref est celui du 8 août (il se résume à *Oui, moi !*). Le mien est celui du 9 août (il se résume à *Saperlipopette !*). Et alors ? me direz-vous. Alors rien. Je voulais juste mettre des chiffres sur nos lettres !

PPS : En attendant d'avoir une avenue à mon nom, sinon une rue, sinon une salle polyvalente à Dieulefit, je me contenterai donc d'une étagère chez Adeline Parmelan. Merci.

De : Adeline
À : Pierre-Marie

Le 15 octobre 2013

Pierre-Marie,

Oui, bien sûr, j'ai reçu le mail d'Hélène Sallefranque. Je l'admire de prendre l'initiative de nous écrire, de nous pousser à sortir de nos chagrins respectifs pour les partager. Le sien, qui s'insinue entre les lignes, me serre péniblement la gorge, mais je n'éprouve aucune hésitation : j'irai à Nantes. J'ai déjà averti la sœur de Vincent, qui viendra avec son mari et ses enfants. J'imagine que vous serez accompagné d'une grande partie de votre tribu ?

Ça me fait drôle que vous ayez tenu les comptes de notre correspondance… J'ai sorti *Comme le fleuve* de l'étagère Sotto, je l'ai soupesé, et j'en suis restée baba. Nous nous sommes vraiment écrit autant que ça ? Si vous le dites, je vous crois ! Le plus étrange, c'est que malgré un tel déversement, je n'ai toujours pas l'impression de vous connaître. Vous restez un mystère pour moi, Pierre-Marie. Un insondable et attirant mystère.

Je vous embrasse.

Adeline

PS : Ce soir, la mairie d'Espère organise un pot amical pour accueillir les nouveaux habitants de la commune. Et vous savez quoi ? Pour l'occasion, je délaisse mon couteau à enduire et mon vieux pantalon taché de peinture : je vais me faire belle !

PPS : Doit-on se « faire belle » pour les enterrements, même quand il n'y a pas de corps à enterrer ?

~

De : Pierre-Marie
À : Adeline

Le 15 octobre 2013

Chère Adeline,

Je ne me lasse pas de ce joli nom : *Espère*. Vous doutiez de pouvoir un jour vous asseoir à ma table, comme s'il s'agissait d'un honneur suprême. Est-ce que moi j'aurai un jour celui de vous rendre visite là-bas ? Je l'… espère.

Oui, il faut se faire beau en toute occasion, même aux enterrements. J'ai longtemps pensé que veiller à son apparence était futile, jusqu'à ce que mes filles et mes femmes me fassent changer d'avis. Alors oui, faites-vous belle pour ce soir, mais n'allez pas me lever le premier Espérois (?) venu. Je me rappelle vous avoir coachée pour séduire votre banquier fantôme, il y a quelques mois. Aujourd'hui, je ne sais pas pourquoi, je ne verrais plus ça d'un aussi bon œil.

Ainsi ce sera bien samedi prochain, le 26, à Nantes, puisque cette date convient apparemment à tout le monde. Du côté de ma *tribu*, comme vous dites, il y aura les trois enfants de Véra. Gloria prendra le TGV de Paris le jour même, et les deux garçons monteront la veille en voiture avec leur père. Il y aura aussi Ève, Jon ainsi que Laura et son mari. Tous les quatre feront route ensemble en voiture depuis Lyon. Est-ce qu'il y aura de la famille venue d'Italie ? Je ne sais pas. Véra était fille unique et ses parents sont décédés.

Moi, je viendrai seul par le train, le vendredi 25.

Pierre-Marie

De : Adeline
À : Pierre-Marie

Le 16 octobre 2013

Très cher Pierre-Marie,

J'adore vos petites pointes de jalousie… et, tiens, pour vous faire bisquer, je ne vais pas vous raconter ma soirée d'hier à la salle des fêtes. Sachez seulement que j'y ai fait une « grosse » impression, et que l'adjoint au maire n'a pas cessé de me regarder en se félicitant du « développement impressionnant » de sa commune. Si un jour (comme vous le suggérez) vous veniez jusqu'ici, la presse locale en ferait ses choux gras. Vous imaginez ? « Une habitante d'Espère reçoit le prix Goncourt ! »

Plaisanterie à part, votre visite me rendrait très heureuse. Et folle d'inquiétude, naturellement. Je vous rappelle que, pour l'instant, il n'y a qu'une seule chambre. Et le sofa du salon ne mesure que 1,60 m de long – je viens de vérifier.

Pierre-Marie, j'ai une question ultra-banco : devrions-nous avoir honte de parler d'autre chose que de la mort de Vincent, de Véra, de cet accident qui nous tombe dessus presque trois ans après ?

Encore une fois, il n'y a qu'à vous que je puisse le dire : depuis le coup de fil de la gendarmerie, voici une semaine, j'éprouve davantage de soulagement qu'autre chose. Pour moi, Vincent était déjà mort depuis longtemps, et nos échanges épistolaires ont largement accéléré le processus de deuil. Je suppose que la cérémonie du 26 va me faire pleurer mes dernières larmes.

Il se trouve que je dois absolument être à Paris le 25 au matin pour l'état des lieux de l'appartement (ça y est, il y a des locataires), alors je partirai de Montparnasse directement. Comment imaginez-vous la suite ?

Je vous embrasse bien fort.

Adeline

PS : J'ai fait une photo de ma salle de bains une fois le carrelage sec. Je vous l'envoie : je compte sur votre admiration.

~

De : Pierre-Marie
À : Max et Josy

Le 17 octobre 2013

Max, Josy,

Vous avez eu la gentillesse de me le demander, alors voilà : une messe en hommage aux victimes de l'accident d'avion de novembre 2010, au nombre desquelles compte Véra, sera dite le samedi 26 octobre à 11 heures en l'église Sainte-Croix, 4, boulevard du Petit-Port, à Nantes.

Je serais touché de vous y voir tous les deux, mais ne vous sentez obligés à rien.

Je vous embrasse très affectueusement.

Pierre-Marie

De : Pierre-Marie
À : Oliver

Le 17 octobre 2013

Oliver,

Tu as eu la gentillesse de me le demander, alors voilà : une messe en hommage aux victimes de l'accident de novembre 2010, au nombre desquelles compte Véra, sera dite le samedi 26 octobre à 11 heures en l'église Sainte-Croix, 4, boulevard du Petit-Port, à Nantes.

Je serais touché de t'y voir, mais ne te sens obligé à rien.

Je t'embrasse avec émotion.
Pierre-Marie

~

De : Pierre-Marie
À : Adeline

Le 18 octobre 2013

Chère carreleuse,

Autant le dire : votre salle de bains m'époustoufle ! Si je n'avais pas l'assurance que vous ne me mentez plus, je la croirais sortie des mains d'un professionnel. J'ai incroyablement hâte de la voir en vrai. Une question cependant à propos de ce jaune « poil de chameau » dont vous avez badigeonné les murs : est-ce la couleur définitive ?

Pourquoi aurions-nous honte de parler d'autre chose que de Véra, de Vincent et de l'accident ? Ou de penser à autre chose ? Je revendique le droit de parler de carrelage avec vous autant qu'il me plaira et quand il me plaira. Devant qui aurions-nous honte ? Il n'y a pas de juge suprême, Adeline. Le Royaume, c'est ici. Tout est là.

Cela ne m'a pas empêché, tout à l'heure, en écrivant à des amis à propos de la célébration de samedi prochain, d'être brusquement submergé d'émotion. Elle m'a pris par surprise, au moment où, parlant des victimes, j'ai écrit : *au nombre desquelles compte Véra.* Le manque, que je croyais vaincu, m'est revenu. J'ai revu notre rencontre à Brive, nos années de folie avec notre foisonnante smala, notre amour.

Mais ça n'a pas duré. Me revoilà facétieux et tourné vers demain.

Je ne sais pas comment vous ressentez ce qui nous attend à Nantes, vous et moi, mais l'enjeu de ce rassemblement n'est plus si clair dans mon esprit. Hommage à Véra, le dernier, oui bien sûr, mais aussi cette pensée légère et émouvante : je vais vous rencontrer.

Pierre-Marie

PS : Cet adjoint au maire m'agace beaucoup.

~

De : Adeline
À : Pierre-Marie

Le 18 octobre 2013

Pierre-Marie,

Sachez que ma salle de bains, comme l'atteste la mention du fabricant inscrite à même le pot, est « nougat ». Définitivement « nougat ». Hormis vous, je ne vois donc aucun chameau dans cette histoire.

Oh Pierre-Marie, croyez-vous que nous nous disputerons, lorsque nous nous verrons ? Je n'ose pas trop penser à ce moment, et paradoxalement, j'ai déjà passé ma garde-robe en revue dans la perspective de notre rencontre.

Le noir, bien sûr, semble s'imposer. Dommage : je vous aurais bien fait l'honneur de mon chemisier préféré (vert pétant), qui paraît-il met en valeur mon décolleté. Ah mais non, suis-je bête ! Vous êtes « fesses » ! Est-ce un goût exclusif, ou bien manifestez-vous tout de même de l'intérêt pour les poitrines un peu lourdes ?

Je m'angoisse, Pierre-Marie. Vous savez (presque) tout de moi, mais vous n'avez aucune idée de mon apparence, de la couleur de mes yeux, de la coupe de mes cheveux. Je me demande si je ne devrais pas vous envoyer une photo dès à présent afin que vous puissiez vous habituer à mon visage, cela nous éviterait un moment d'embarras, non ?

Je vous laisse, j'ai la visite de l'artisan qui doit remplacer mes deux fenêtres.

Je vous embrasse.

Adeline

PS : L'adjoint au maire d'Espère, Gilles Moustier, est en effet charmant. Et charmeur.

PPS : Véra vous manquera toujours. Son empreinte sur vous est bien plus indélébile que n'importe quelle peinture waterproof.

De : Pierre-Marie
À : Adeline

Le 19 octobre 2013

Adeline,

On m'a déjà comparé à un chameau, mais c'était ma petite-fille Zoé et pour me dire que j'étais très fort. Pas pour se moquer de moi.

En représailles, je vous prends au mot : oui, envoyez-moi donc une photo (ah, vous ne vous attendiez pas à ça, avouez-le !).

J'ai regardé les horaires de la SNCF. J'arriverai en gare de Nantes à 18 h 11, vendredi prochain. J'espère qu'il pleuvra et qu'on pourra fredonner Barbara sous un parapluie.

Je vous embrasse, Adeline.

Pierre-Marie

PS : Gilles Moustier a peut-être un peu de charme au premier abord, mais il vous décevra beaucoup. Laissez tomber.

De : Adeline
À : Pierre-Marie

Le 20 octobre 2013

Cher Pierre-Marie,

Pour la photo, me préférez-vous en pied ? En buste ? En portrait ? En Photomaton ? Seule ou accompagnée ? À la plage ou à la montagne ? En train de manger des tagliatelles ? De lever mon verre à la santé de ma belle-sœur ? De faire la grimace ? D'éternuer (j'ai ça, oui) ? En pyjama, peut-être ?

Non, attendez, j'ai une meilleure idée : je vais vous envoyer celle-ci (à découvrir en pièce jointe) ! C'est ma mère qui l'a prise. Elle n'était pas très douée, paix à son âme, et j'avais beau lui dire qu'on ne photographie pas les gens quand ils ont le soleil en pleine face, elle s'obstinait. Parmi tous ses clichés ratés, c'est celui-ci que je préfère.

Pour le train, ce sera 16 h 09 en ce qui me concerne. Vendredi 25. À Nantes. Sous la pluie, ce serait bien, même si je préfère ne pas entendre la voix douloureuse de Barbara avant la cérémonie, au risque de m'écrouler. Sauf si c'est vous qui chantez, et si c'est dans vos bras que je m'effondre…

Pour l'instant, racontez-moi plutôt quelque chose d'idiot, de drôle, d'incongru, voulez-vous ? Je ne sais pas si c'est ce déballage de vieilles photos sur le plancher de ma chambre, mais j'ai la gorge serrée et les larmes au bord des yeux.

Je vous embrasse.
Adeline

~

De : Pierre-Marie
À : Adeline

Le 22 octobre 2013

Chère menteuse,

Vous n'auriez pas pu le dire avant ! Comment avez-vous pu me taire ça pendant huit mois ? Pendant plus de soixante courriers ! Je ne sais pas, entre furieux et ravi, ce que je suis le plus ! (La réponse, c'est ravi, bien sûr.)

Grande. Grosse. Brune. Soit, mais vous vous êtes bien gardée de dire l'essentiel, à savoir que vous êtes…

Non, ce ne sont pas des points de suspension, ce sont des points de… stupéfaction ! À prononcer muettement en secouant doucement la tête : vous êtes vraiment…

Allez tant pis, j'ouvre la barrière en grand et je laisse cavaler tous les points de suspension, je m'en contrefous… Libérez-les !

Vous m'avez bien promené avec vos *canons de beauté en vigueur*, vos histoires d'*hippopotame*, de *gros corps*, et de *pain sur la planche* pour vous faire belle…

Je vous regarde sur cette photo où vous clignez des yeux face au soleil (bravo à votre maman !) et je ris de moi qui vous donnais des conseils pour séduire votre ectoplasme de banquier. Avec ce charmant minois-là, vous pouvez séduire sans l'aide de personne les banquiers, les militaires, les pharmaciens, les pharmaciennes, les basketteurs, les étudiants, les marchands d'électroménager, les représentants de commerce, les ministres, les jockeys, les violonistes… Enfin tout le monde quoi… Je me demande même si un prix Goncourt…

Oh l'incroyable petite cachottière…

Je ne m'en remets pas…

Pierre-Marie (qui n'arrive pas à refermer la bouche…)

PS : J'ai tardé à vous répondre parce que mes doigts se mélangeaient sur le clavier.

De : Lisbeth P. Destivel
À : Pierre-Marie Sotto

Le 22 octobre 2013

Pierre-Marie,

J'espère que tu ne t'es pas étranglé en voyant surgir mon nom dans ta boîte mail. Je te rassure tout de suite, je ne viens pas essayer de t'arracher à ta (trop) précieuse solitude. Après bientôt six mois de silence, et bien que nos derniers échanges aient été vifs, je voulais simplement t'informer que j'ai poursuivi le projet théâtral basé sur ton *Retour de la bête*. Ce n'est pas parce que l'auteur manque de délicatesse que l'art doit en pâtir, n'est-ce pas ? J'ai donc mis mon orgueil dans ma poche, et, bonne fille, je suis allée jusqu'au bout.

La dernière des trois représentations a eu lieu hier soir. La MJC était bondée, et nous avons eu quatre rappels, spectateurs debout. Beaucoup sont venus me féliciter. Comme je ne suis pas du genre à tirer la couverture à moi, j'ai chaque fois rappelé ton nom et la qualité de ton œuvre. (Si tu notes un pic de ventes brutal du côté du Mans, tu sauras pourquoi.)

Dans l'ensemble, le public a aimé l'histoire, et particulièrement apprécié la modernité des dialogues. Tu aurais entendu la salle éclater de rire quand l'infirmière entre dans la chambre de monsieur Digne et s'exclame : *Alors, pépère, on en écrase ?* C'était gran-di-ose !

J'en profite aussi pour t'annoncer que j'ai rencontré quelqu'un. Richard est un homme adorable, divorcé, bon vivant, et pas compliqué.

Voilà. Tu peux dormir sur tes deux oreilles.

Lisbeth

PS : Ah oui ! Je cherche une idée pour une nouvelle adaptation scénique. J'ai pensé m'attaquer à *Une femme à sa fenêtre*, sauf si une meilleure idée se présente, bien sûr.

De : Adeline
À : Pierre-Marie

Le 22 octobre 2013

Cher Pierre-Marie,

Depuis cette histoire avec la peinture de ma salle de bains, je me doutais que vous aviez des problèmes de vue, mais là, j'en viens à penser que vous êtes atteint d'une cataracte à un stade avancé ! Ou alors, ce qui est encore plus probable, vous continuez de voir la vie uniquement telle que vous voulez la voir ? Sinon, comment pourriez-vous m'écrire un message pareil ? Allons, enlevez vos lunettes d'écrivain mythomane, et regardez mieux la photo : je grimace, j'ai la main devant les yeux, et la luminosité gomme le reste ! Moi qui voulais vous éviter une déconvenue, comment vais-je faire maintenant que vous m'avez réinventée en princesse ? Pour faire pencher la balance dans l'autre sens (c'est le cas de le dire), je vous en envoie une autre. Celle-ci a été prise par mon neveu de 6 ans (le fils de Béatrice), un matin au réveil. Elle est floue, je sais. Et il a mis ses doigts devant l'objectif. Mais on devine que je n'ai rien de Sophia Loren. Ni de Barbara.

Pierre-Marie, je suis moi, seulement moi. Et c'est moi que vous aurez en face de vous dans quatre jours. Vêtue de noir, munie d'un parapluie, et avec (sans doute) quelques traces couleur « poil de chameau » sur les phalanges.

Dans quatre jours… voire dans… trois jours ?

Parce que je me demandais si… (je lâche à mon tour vos consignes concernant les points de suspension), enfin… étant donné que nous arriverons à la gare de Nantes à deux heures d'intervalle… je me disais…

Et vous ?

Adeline

PS : Après huit mois de correspondance, attendre deux heures dans un café me semble peu de chose.

PPS : Vous êtes cruel de m'avoir répondu si tard : j'ai passé deux jours à regretter de vous avoir envoyé la photo.

PPPS : Par chance, il y avait des festivités à Espère.

PPPPS : Par dépit, j'ai mis Gilles Moustier dans mon lit.

De : Pierre-Marie
À : Adeline

Le 23 octobre 2013

Chère Adeline,

Ne vous fatiguez pas davantage avec vos photos. Mon opinion est faite. Votre neveu lui-même n'a pas réussi à vous rendre moche.

Gilles Moustier dans votre lit ? Je n'y crois pas une seconde. Comment pourrait-il y aller, d'ailleurs, dans votre lit, puisqu'il n'existe sans doute pas, cet homme. Vous l'avez inventé, celui-ci aussi ! Au passage, *Gilles Moustier*, c'est bien trouvé, comme nom. On y croirait presque. Bravo !

Coquette, menteuse récidiviste, je ne sais plus si j'ai tellement envie de vous rencontrer à Nantes. Mais bon, si vous me dites le nom d'un café proche de la gare où vous m'attendriez pendant deux heures, après-demain, je veux bien, par correction, aller y jeter un petit coup d'œil.

Pierre-Marie

PS : Ah oui, vous vouliez quelque chose de drôle ? Ce matin, je vais chez mon dentiste, et dans la salle d'attente je tombe sur… *Bac plus douze*, mon ex-gendre ! On se serre la main, on échange trois banalités et on se plonge dans les magazines, un peu gênés. On est assis l'un en face de l'autre. Il n'y a que nous deux dans la pièce. Soudain je me rends compte qu'il me fixe, qu'il veut me dire quelque chose. Je l'encourage du regard et il me chuchote, texto : *Vous saviez que je votais Sarkozy ?* Je n'ai pas eu le temps de lui répondre. La porte s'est ouverte et le dentiste est venu l'appeler. En sortant, il m'a fait un sourire énigmatique. Je n'ai rien compris.

~

De : Adeline
À : Pierre-Marie

Le 23 octobre 2013

Pierre-Marie,

Je vous attendrai au Café des Plantes, sortie nord, sur la placette face à l'entrée du jardin. Je n'y ai jamais mis les pieds, mais sur Internet, ça paraît bien.

Je m'installerai dans le fond, avec un thé au citron et un (bon) livre. Vers 18 heures, j'imagine que je commencerai à ne plus comprendre une seule ligne, tant pis, je ferai semblant. À 18 h 10, je me lèverai pour passer aux toilettes : j'espère qu'il y aura un miroir pour que je puisse me recoiffer. À 18 h 15, je guetterai la rue. L'apparition de chaque homme un peu dégarni fera dans ma poitrine l'effet d'une bombe à neutrons. Si vous n'êtes pas là à 18 h 20, je patienterai avec un deuxième thé au citron. À 18 h 30, je supposerai un retard sur la ligne. Mon téléphone portable sera posé devant moi, à côté du livre que je n'arriverai plus à lire : m'enverrez-vous un SMS pour m'avertir que vous êtes bloqué en gare d'Angers ? À 18 h 45, je commanderai un verre de blanc. Sec. Et si vous n'êtes toujours pas là à 19 heures… un schnaps.

J'ai réservé une chambre dans un hôtel, à mi-chemin de la gare et de l'église où aura lieu la cérémonie. Son nom m'a plu : L'Abat-Jour. Deux étoiles, tarifs abordables pour ma bourse, mais j'imagine que vous avez trouvé plus chic ?

Dites-moi si vous voulez mon numéro de téléphone.

Je vous embrasse.

Adeline

PS : Le dentiste, c'était pour avoir un sourire tout neuf en vue de notre rencontre ? (En tout cas, moi, je suis allée chez le coiffeur.)

PPS : Gilles Moustier, oui, j'étais contente de moi. Merci d'avoir apprécié.

PPPS : J'ai toujours pensé que le sarkozisme ne prémunissait pas contre les rages de dents.

~

De : Pierre-Marie
À : Adeline

Le 24 octobre 2013

Chère Adeline,

D'après Google Maps itinéraire, il faut 41 secondes pour aller à pied de la sortie nord de la gare de Nantes jusqu'au Café des Plantes.

Si le train est à l'heure et si je compte 3 minutes pour me rendre du quai d'arrivée à cette sortie nord, je devrais logiquement pousser la porte du café vers 18 heures 14 minutes et 41 secondes.

Je porterai un manteau sombre et une écharpe bariolée, je tirerai derrière moi une de ces affreuses et si pratiques petites valises noires à roulettes et poignée télescopique.

Je vous repérerai immédiatement et je me dirigerai vers vous. Je propose que nous nous serrions la main.

Vous me demanderez si j'ai bien voyagé. Je vous dirai que oui et je vous raconterai peut-être une anec-dote qui me sera arrivée dans le train. Ensuite je vous demanderai si vous, vous avez bien voyagé.

Je pense que ça nous amusera de faire exactement comme ça, de respecter notre programme.

Puis nous nous inventerons la suite.

Je me réjouis de notre rendez-vous.

Tenez, la voici, la dixième raison de trouver que la vie est belle : aller à un rendez-vous qui vous fait battre le cœur.

Plus notre rencontre s'approche, et plus j'ai du mal à me rappeler la véritable raison de ma venue à Nantes : cette prière que nous allons faire, samedi, pour ceux qui nous ont quittés.

À demain, chère correspondante. Ceci est mon dernier courrier avant de vous voir.

Quoi qu'il nous arrive désormais, je veux vous dire que ce fut un beau voyage.

Merci.
Pierre-Marie

~

De : Adeline
À : Pierre-Marie

Le 24 octobre 2013

Cher Pierre-Marie,

Ce message est également le dernier que je vous envoie, avant de filer à Cahors où je dois prendre le train de midi en direction de Paris. Ce soir, je dormirai pour la dernière fois dans l'appartement du 9e arrondissement où j'ai vécu avec Vincent. Il est vide, j'ai prévu de dormir par terre. Peut-être ai-je besoin de m'infliger une mauvaise nuit en guise de pénitence ? Pour expier la colère que j'ai eue contre lui, et probablement la culpabilité que j'éprouve à me rendre à Nantes autant pour vous que pour lui.

Je vous glisse mon numéro : 064431811.

Ma valise est prête. J'ai passé deux heures à la remplir, la vider, la re-remplir. En fin de compte, j'y ai mis le minimum : une trousse de toilette bourrée à craquer de cosmétiques, trois tenues sombres, deux tenues colorées, des chaussures plates pour marcher dans les rues de Nantes, des talons hauts pour me sentir à la hauteur de votre mètre quatre-vingt-douze, un jean pour finir le ménage de l'appartement, un oreiller de voyage, trois livres pour faire passer les heures de train et l'attente jusqu'à vous.

Votre programme me convient, je le suivrai à la lettre. J'espère que je n'aurai pas les paumes trop moites lorsque vous me serrerez la main, les émotions fortes provoquent toujours chez moi de pénibles montées de température.

Hier, j'ai lu et relu la « feuille de route » que nous a envoyée Hélène Sallefranque pour la cérémonie. Les mots « prière pour les disparus » m'ont écrasée.

L'heure tourne, Pierre-Marie. Je vais éteindre mon ordinateur. Une part de moi se dit « ça y est, c'est fini », tandis qu'une autre part, la plus vivante, se dit au contraire que tout commence. Dans cette église, samedi, nous prierons pour nos disparus. Peut-être même entendrons-nous le *sanctus* du *Requiem* ? Mais moi, en secret, je ferai une prière pour nous, une prière pour ceux qui restent. D'ailleurs, non, ce ne sera pas une prière. Plutôt une chanson. Un air que j'improviserai en sourdine (*« sotto voce »* si je puis dire) et que vous serez le seul à entendre. Ce sera sans doute très inconvenant, une sorte de « chabadabada » qui battra à la cadence de mon cœur. Et vous savez quoi ? Ce sera le contraire du malheur. Chanterez-vous avec moi, Pierre-Marie ?

Je vous embrasse.
À demain.
Adeline

~

Composé par Nord Compo à Villeneuve-d'Ascq

Imprimé en France par CPI
en janvier 2016

POCKET - 12, avenue d'Italie - 75627 Paris Cedex 13

N° d'impression : 3014615
Dépôt légal : février 2016
S26597/01